초등 수학 전문가가 만든 연산 교재

원리셈

(두/세 자리 수)÷(한 자리 수)

교과 과정 완벽 대비
수학 전문가가 만든 연산 교재
다양한 형태의 문제로 재미있게 연습하는 원리셈

지은이의 말

수학은 원리로부터

수학은 구체물의 관계를 숫자와 기호의 약속으로 나타내는 추상적인 학문입니다. 이 점이 아이들이 수학을 어려워하는 가장 큰 이유입니다. 이러한 수학은 제대로 된 이해를 동반할 때 비로소 힘을 발휘할 수 있습니다. 수학은 어느 단계에서나 원리가 가장 중요합니다.

수학 교육의 변화

답을 내는 방법만 알아도 되는 수학 교육의 시대는 지나고 있습니다. 연산도 한 가지 방법만 반복 연습하기 보다 다양한 풀이 방법이 중요합니다. 교과서는 왜 그렇게 해야 하는지 가르쳐 주고 다양한 방법을 생각하도록 하지만, 학생들은 단순하게 반복되는 연습에 원리는 잊어버리고 기계적으로 답을 내다보니 응용된 내용의 이해가 부족합니다.

연산 학습은 꾸준히

유초등 학습 단계에 따라 4권~6권의 구성으로 매일 10분씩 꾸준히 공부할 수 있습니다. 원리와 다양한 방법의 학습은 그림과 함께 재미있게, 연습은 다양하게 진행하되 마무리는 집중하여 진행하도록 했습니다. 부담 없는 하루 학습량으로 꾸준히 공부하다 보면 어느새 연산 실력이 부쩍 늘어난 것을 알 수 있습니다.

개정판 원리셈은

동영상 강의 확대/초등 고학년 원리 학습 과정 강화 등으로 교과 과정을 완벽하게 대비할 수 있도록 원리와 개념, 계산 방법을 학습합니다. 단계별 원리 학습은 물론이고 연습도 강화했습니다.

학부모님들의 연산 학습에 대한 고민이 원리셈으로 해결되었으면 하는 바람입니다.

지은이 천종현

원리셈의 특징

원리셈의 학습 구성

한 권의 책은 매일 10분 / 매주 5일 / 6주 학습

원리셈의 시나브로 강해지는 학습 알고리즘

초등 원리셈은

시작은 원리의 이해로부터, 마무리는 충분한 연습과 성취도 확인까지

체계적인 학습 구성

쉽게 이해하고 스스로 공부!
실수가 많은 부분은 별도로 확인하고 연습!
주제에 따라 실전을 위한 확장적 사고가 필요한 내용까지!
원리로 시작되는 단계별 학습으로 곱셈구구마저 저절로 외워진다고 느끼도록!

원리셈 전체 단계

키즈 원리셈

5·6세	
1권	5까지의 수
2권	10까지의 수
3권	10까지의 수 세어 쓰기
4권	모아 세기
5권	빼어 세기
6권	크기 비교와 여러 가지 세기

6·7세	
1권	10까지의 더하기 빼기 1
2권	10까지의 더하기 빼기 2
3권	10까지의 더하기 빼기 3
4권	20까지의 더하기 빼기 1
5권	20까지의 더하기 빼기 2
6권	20까지의 더하기 빼기 3

7·8세	
1권	7까지의 모으기와 가르기
2권	9까지의 모으기와 가르기
3권	덧셈과 뺄셈
4권	10 가르기와 모으기
5권	10 만들어 더하기
6권	10 만들어 빼기

초등 원리셈

1학년	
1권	받아올림/내림 없는 두 자리 수 덧셈, 뺄셈
2권	덧셈구구
3권	뺄셈구구
4권	□ 구하기
5권	세 수의 덧셈과 뺄셈
6권	(두 자리 수)±(한 자리 수)

2학년	
1권	두 자리 수 덧셈
2권	두 자리 수 뺄셈
3권	세 수의 덧셈과 뺄셈
4권	곱셈
5권	곱셈구구
6권	나눗셈

3학년	
1권	세 자리 수의 덧셈과 뺄셈
2권	(두/세 자리 수)×(한 자리 수)
3권	(두/세 자리 수)×(두 자리 수)
4권	(두/세 자리 수)÷(한 자리 수)
5권	곱셈과 나눗셈의 관계
6권	분수

4학년	
1권	큰 수의 곱셈
2권	큰 수의 나눗셈
3권	분모가 같은 분수의 덧셈과 뺄셈
4권	소수의 덧셈과 뺄셈

5학년	
1권	혼합 계산
2권	약수와 배수
3권	분모가 다른 분수의 덧셈과 뺄셈
4권	분수와 소수의 곱셈

6학년	
1권	분수의 나눗셈
2권	소수의 나눗셈
3권	비와 비율
4권	비례식과 비례배분

초등 원리셈의 단계별 학습 목표

원리와 연습을 모두 잡는 원리셈!!

학년별 학습 목표와 다른 책에서는 만나기 힘든 특별한 내용을 확인해 보세요.

1학년 원리셈

모든 연산 과정 중 실수가 가장 많은 덧셈, 뺄셈의 집중 연습
여러 가지 계산 방법 알기
덧셈, 뺄셈의 관계를 이용한 '□ 구하기'의 이해

2학년 원리셈

두 자리 덧셈, 뺄셈의 여러 가지 계산 방법의 숙지와 이해
곱셈 개념을 폭넓게 이해하고, 곱셈구구를 힘들지 않게 외울 수 있는 구성
나눗셈은 3학년 교과의 내용이지만 곱셈구구를 외우는 것을 도우면서 곱셈구구의 범위에서 개념 위주 학습

3학년 원리셈

기본 연산은 정확한 이해와 충분한 연습
곱셈, 나눗셈의 관계를 이용한 '□ 구하기'의 이해
분수는 학생들이 어려워 하는 부분을 중점적으로 이해하고, 연습하도록 구성

4학년 원리셈

작은 수의 곱셈, 나눗셈 방법을 확장하여 이해하는 큰 수의 곱셈, 나눗셈
교과서에는 나오지 않는 실전적 연산을 포함
많이 틀리는 내용은 별도 집중학습

5학년 원리셈

연산은 개념과 유형에 따라 단계적으로 학습 후 충분한 연습
약수와 배수는 기본기를 단단하게 할 수 있는 체계적인 구성

6학년 원리셈

분수와 소수의 나눗셈은 원리를 단순화하여 이해
비의 개념을 확장하여 문장제 문제 등에서 만나는 비례 관계의 이해와 적용
비와 비례식은 중등 수학을 대비하는 의미도 포함. 강추 교재!!

3학년 구성과 특징

1권은 큰 수의 덧셈과 뺄셈을 2권~4권은 자리를 구분하여 곱셈과 나눗셈을 공부합니다. 5권은 곱셈과 나눗셈의 관계를 통해 검산과 모르는 수를 구하는 방법을 배웁니다. 6권의 분수는 학생들이 가장 어려움을 느끼는 부분을 집중 연습하도록 했습니다.

원리

수 모형, 동전 등을 이용하여 원리를 직관적으로 이해하고 쉽게 공부할 수 있도록 하였습니다.

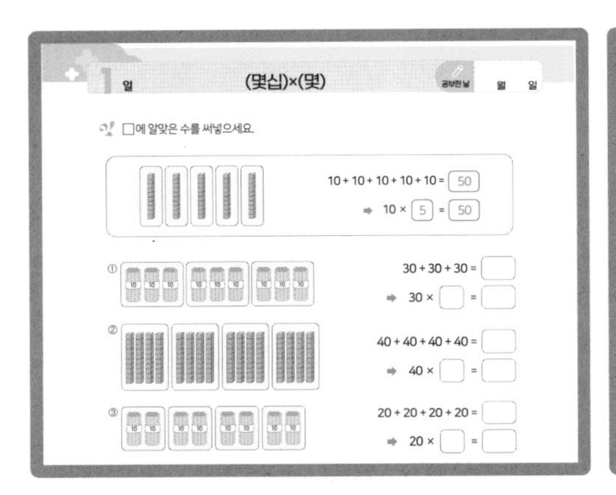

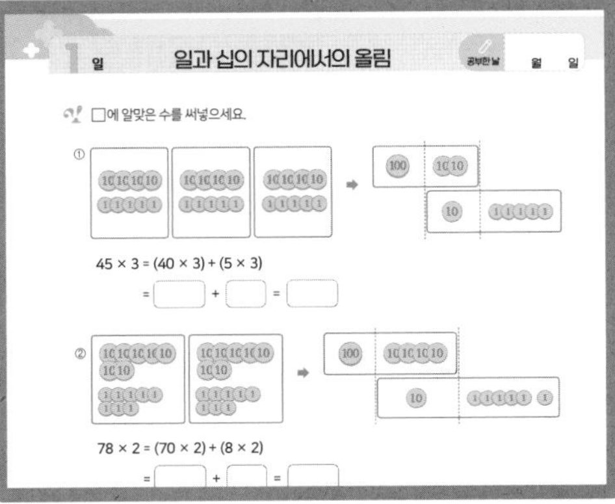

다양한 계산 방법

다양한 계산 방법을 공부함으로써 수를 다루는 감각을 키우고, 상황에 따라 더 정확하고 빠른 계산을 할 수 있도록 하였습니다.

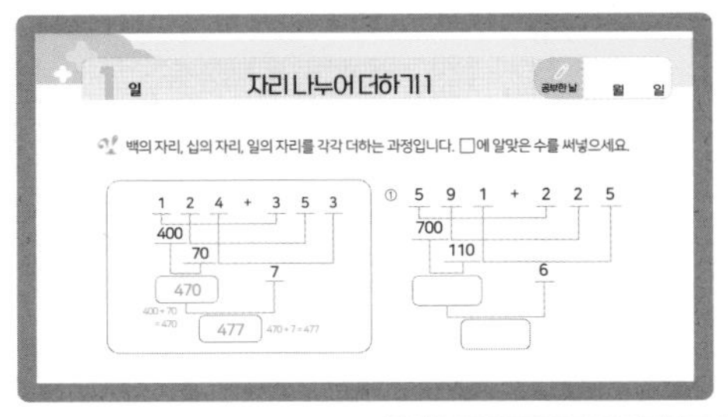

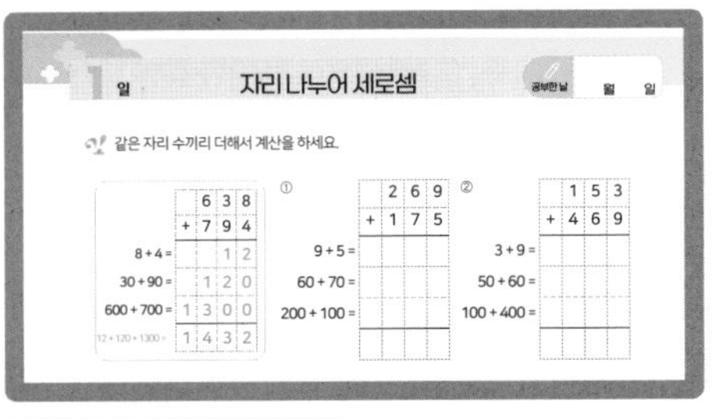

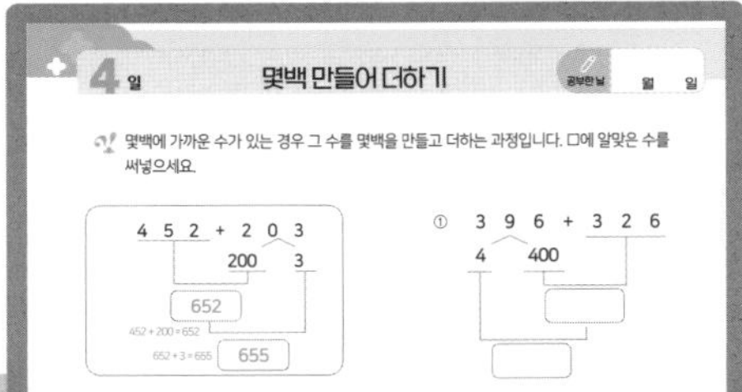

연습

기본 연습 문제를 중심으로 여러 형태의 문제로 지루하지 않게 반복하여 연습할 수 있도록 구성하였습니다.

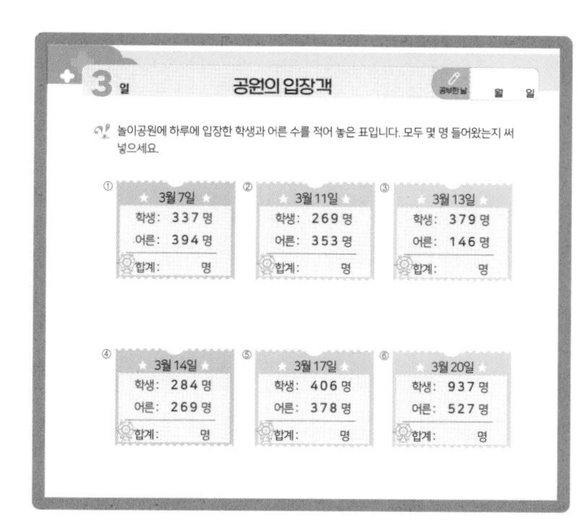

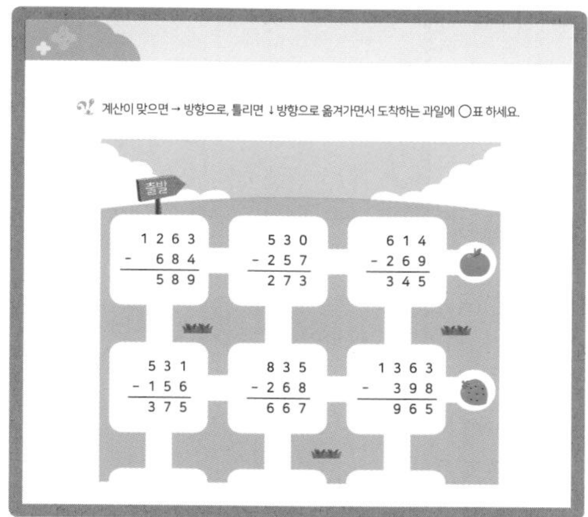

도전! 계산왕

주제가 구분되는 두 개의 단원은 정확성과 빠른 계산을 위한 집중 연습으로 주제를 마무리 합니다.

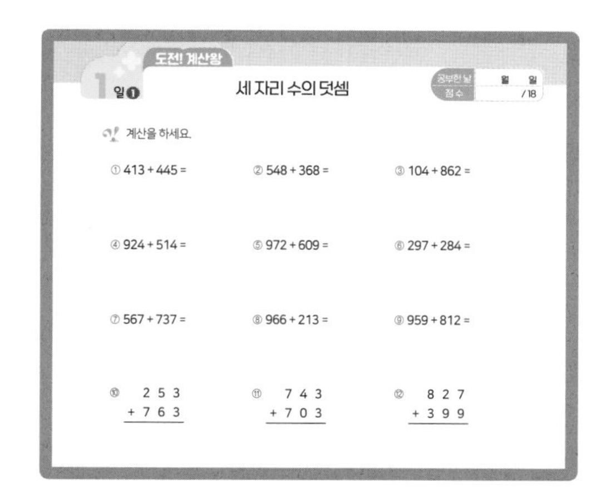

성취도 평가

개념의 이해와 연산의 수행에 부족한 부분은 없는지 성취도 평가를 통해 확인합니다.

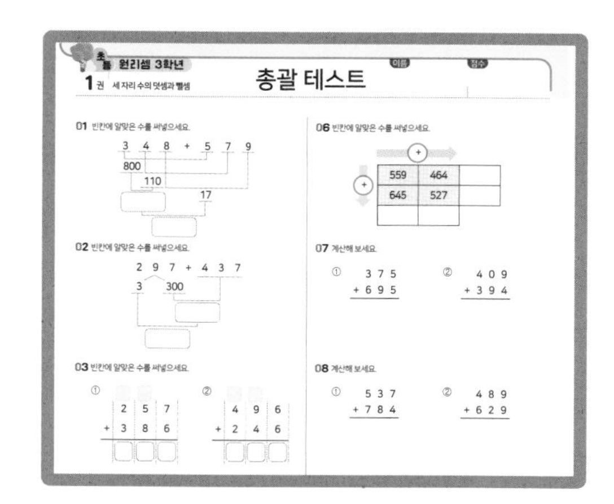

책의 사이사이에 학생의 학습을 돕기 위한 저자의 내용을 잘 이용하세요.

단원의 학습 내용과 방향

한 주차가 시작되는 쪽의 아래에 그 단원의 학습 내용과 어떤 방향으로 공부하는지를 설명해 놓았습니다.
학부모님이나 학생이 단원을 시작하기 전에 가볍게 읽어 보고 공부하도록 해 주세요.

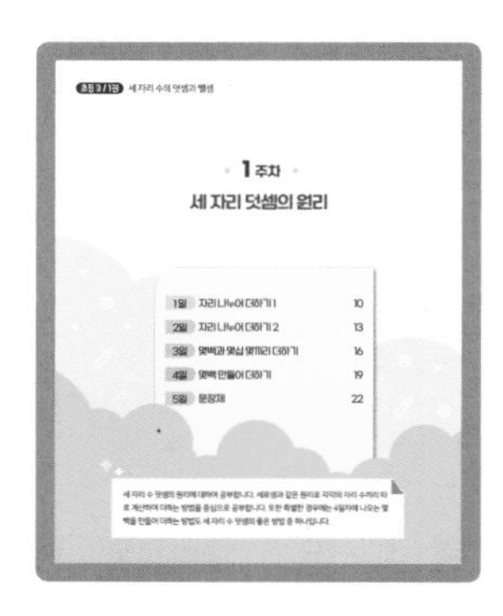

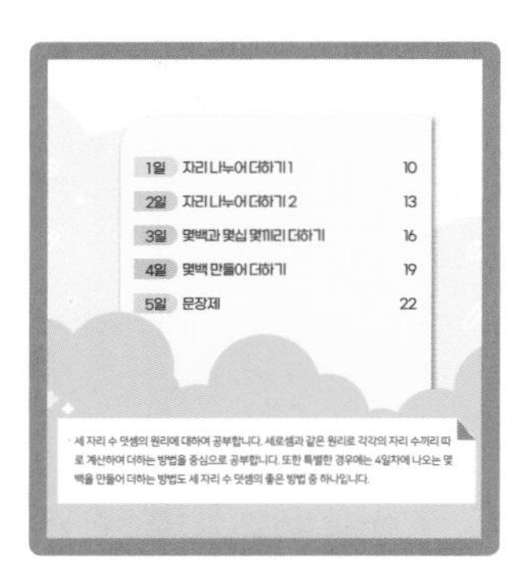

이해를 돕는 저자의 동영상 강의

처음 접하는 원리/개념과 연산 방법의 이해를 돕기 위한 동영상 강의가 있으니 이해가 어려운 내용은 QR코드를 이용하여 편리하게 동영상 강의를 보고, 공부하도록 하세요.

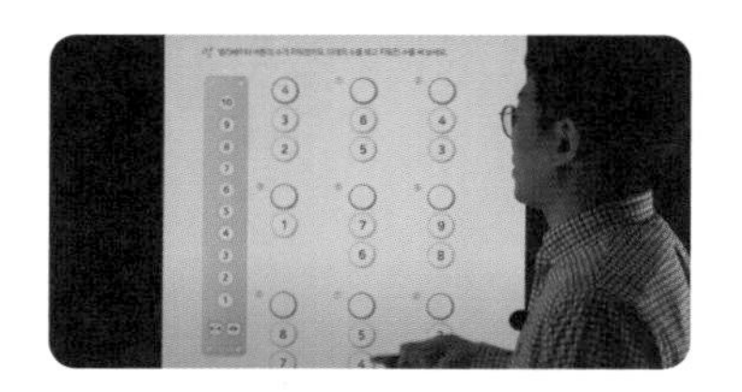

학습 Tip

간략한 도움글은 각 쪽의 아래에 있습니다.

천종현수학연구소 네이버 카페와 홈페이지를 활용하세요.

카페와 홈페이지에는 추가 문제 자료가 있고, 연산 외에서 수학 학습에 어려움을 상담 받을 수 있습니다.

네이버에서 천종현수학연구소를 검색하세요.

1 주차

나머지가 없는 (두 자리 수)÷(한 자리 수)

(두 자리 수)÷(한 자리 수)의 나눗셈 방법을 공부합니다. (몇십)÷(몇)과 (몇십몇)÷(몇)으로 구분해서 나눗셈의 원리를 익히고 세로셈으로 계산해 봅니다. 계산 과정은 비교적 어렵지 않으므로 받아내림이 있는 나눗셈의 원리까지 정확하게 이해하고 넘어가도록 합니다.

(몇십)÷(몇)

수 막대를 보고 □에 알맞은 수를 써넣으세요.

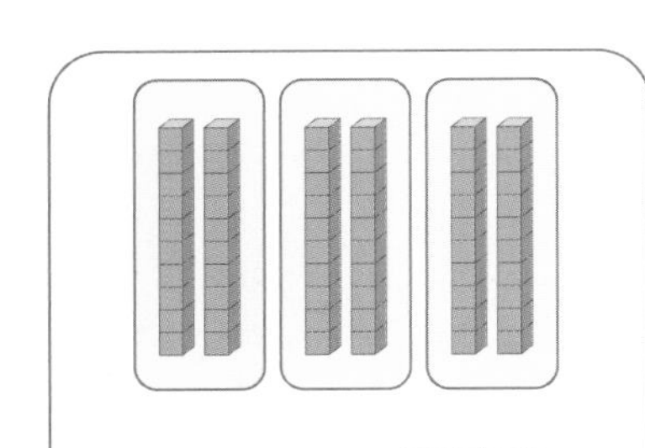

60 ÷ 3 = 20

① 

80 ÷ 2 = □

② 

90 ÷ 3 = □

③ 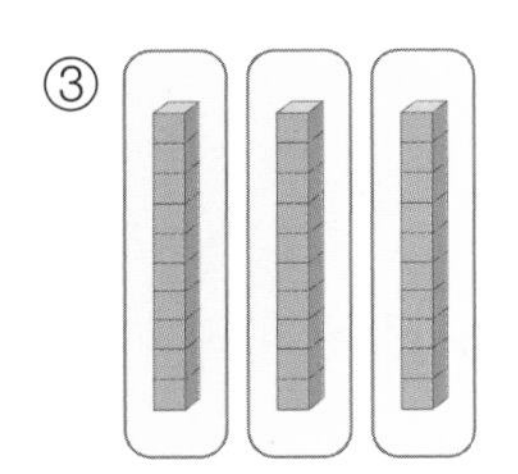

30 ÷ 3 = □

④ 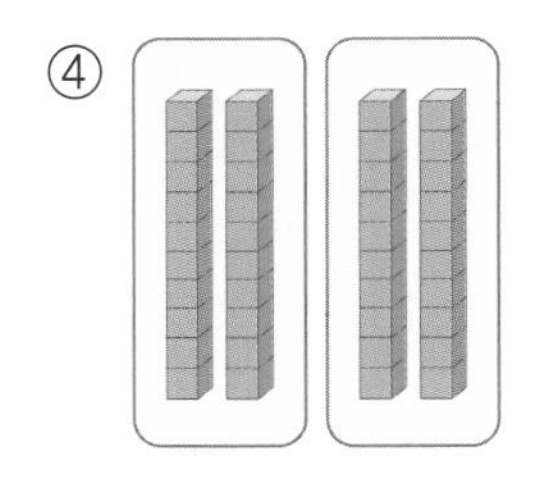

40 ÷ 2 = □

⑤ 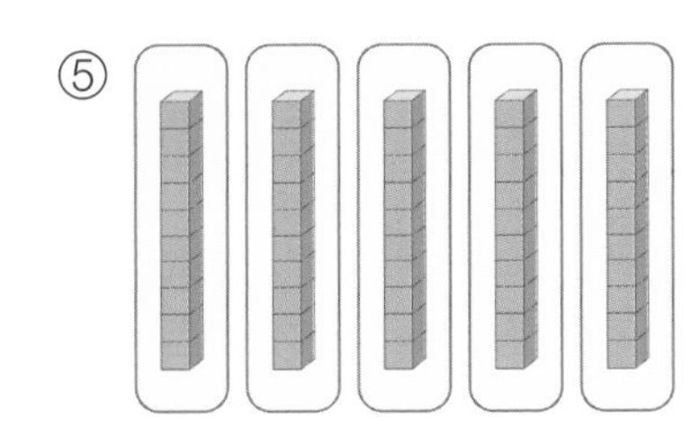

50 ÷ 5 = □

⑥ 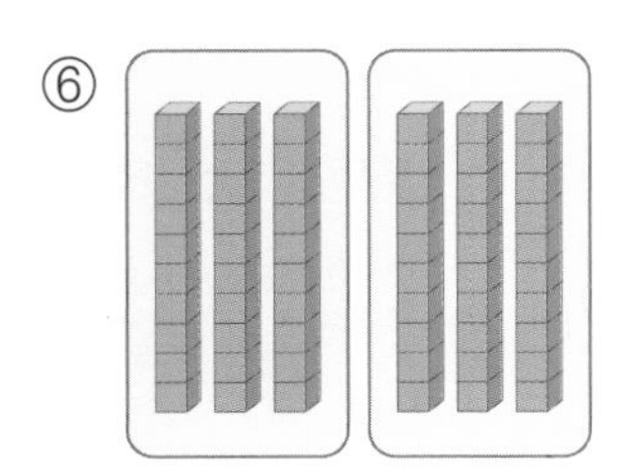

60 ÷ 2 = □

⑦ 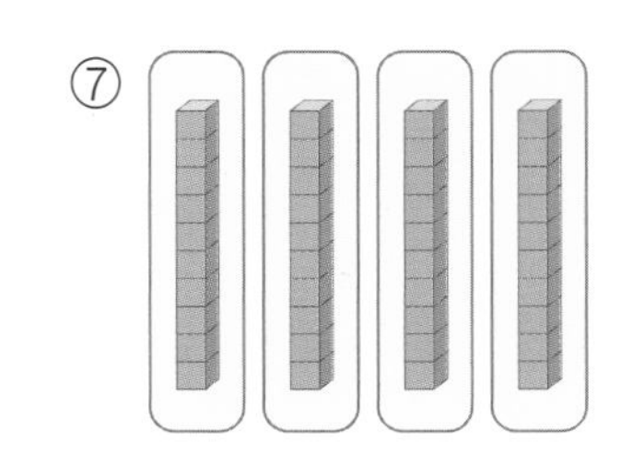

40 ÷ 4 = □

⑧ 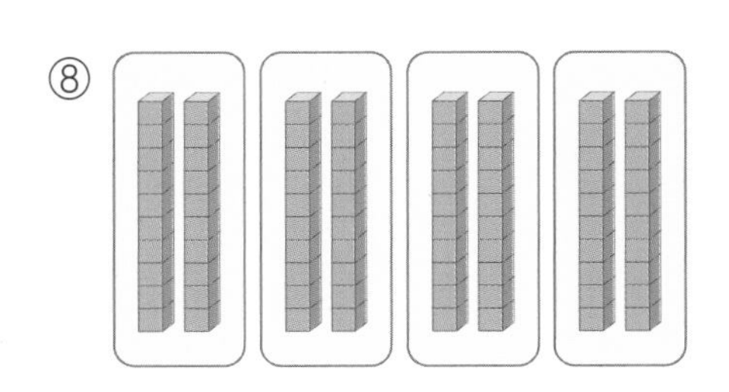

80 ÷ 4 = □

수 막대를 보고 □에 알맞은 수를 써넣으세요.

$30 \div 2$ ─ $20 \div 2 =$ 10, $10 \div 2 =$ 5 ─ 15

① $70 \div 2$ ─ $60 \div 2 =$ □, $10 \div 2 =$ □ ─ □

② $90 \div 2$ ─ $80 \div 2 =$ □, $10 \div 2 =$ □ ─ □

③ $80 \div 5$ ─ $50 \div 5 =$ □, $30 \div 5 =$ □ ─ □

④ $70 \div 5$ ─ $50 \div 5 =$ □, $20 \div 5 =$ □ ─ □

⑤ $90 \div 5$ ─ $50 \div 5 =$ □, $40 \div 5 =$ □ ─ □

나눗셈을 하세요.

$90 \div 3 = 30$	$70 \div 2 = 35$
$3 \times 30 = 90$ 십의 자리 숫자 9에는 나누는 수 3이 3번 들어갑니다.	$2 \times 10 = 20$ $2 \times 20 = 40$ $2 \times 30 = 60$ → $60 \div 2 = 30$ $2 \times 40 = 80$(x) $10 \div 2 = 5$ ← $2 \times 5 = 10$ 70 - 60 십의 자리 숫자 7에는 나누는 수 2가 3번 들어가고 1이 남습니다.

① $60 \div 2 =$

② $50 \div 2 =$

③ $80 \div 4 =$

④ $60 \div 4 =$

⑤ $60 \div 3 =$

⑥ $60 \div 5 =$

⑦ $50 \div 5 =$

⑧ $80 \div 5 =$

⑨ $80 \div 2 =$

⑩ $30 \div 2 =$

Tip 70÷2를 계산할 때 십의 자리의 7을 먼저 나눈 다음 나머지 수를 나눕니다.

(몇십몇)÷(몇)

공부한 날 월 일

수 막대를 보고 □에 알맞은 수를 써넣으세요.

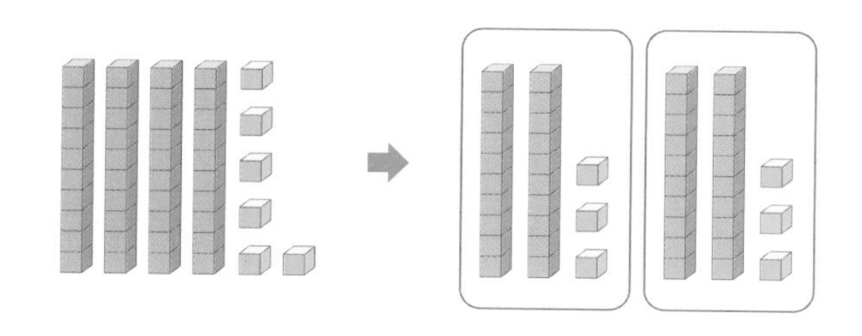

46 ÷ 2 = 23

①

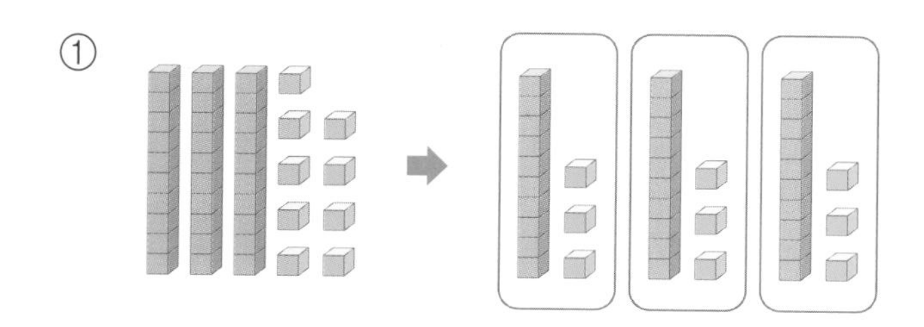

39 ÷ 3 = □

②

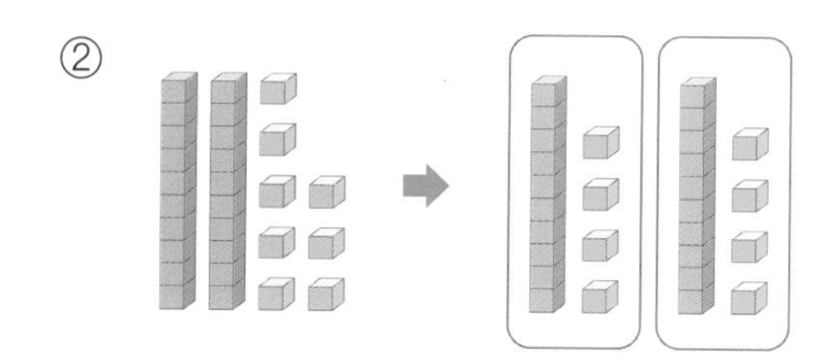

28 ÷ 2 = □

③

44 ÷ 4 = □

④

63 ÷ 3 = □

수 막대를 보고 □에 알맞은 수를 써넣으세요.

$42 \div 3$ — $30 \div 3 =$ 10, $12 \div 3 =$ 4 → 14

① $56 \div 4$ — $40 \div 4 =$ □, $16 \div 4 =$ □ → □

② $81 \div 3$ — $60 \div 3 =$ □, $21 \div 3 =$ □ → □

③ $58 \div 2$ — $40 \div 2 =$ □, $18 \div 2 =$ □ → □

④ $72 \div 6$ — $60 \div 6 =$ □, $12 \div 6 =$ □ → □

⑤ $92 \div 4$ — $80 \div 4 =$ □, $12 \div 4 =$ □ → □

나눗셈을 하세요.

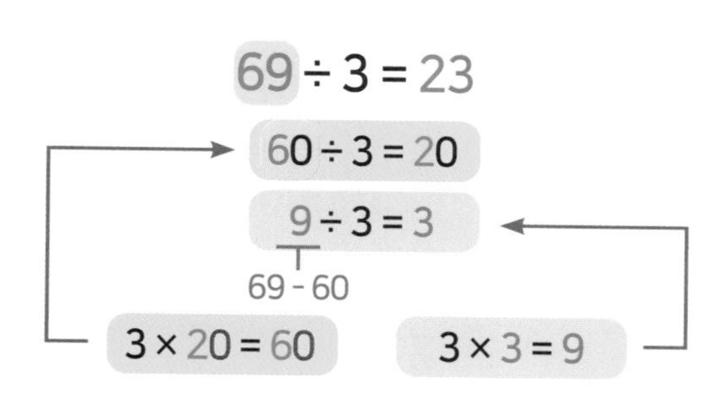

십의 자리 숫자 6에는 나누는 수 3이 2번 들어가고
일의 자리 숫자 9에는 나누는 수 3이 3번 들어갑니다.

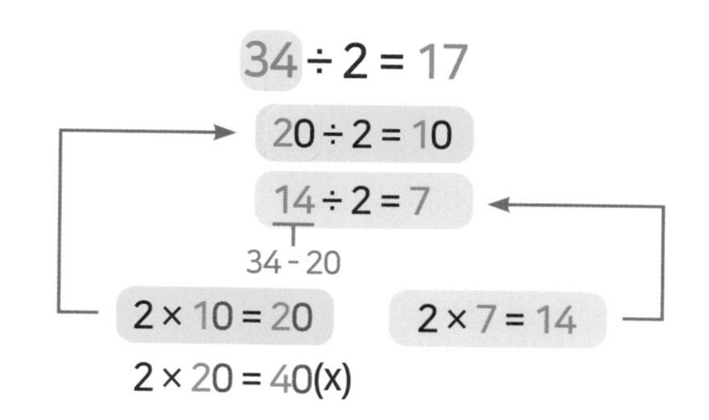

십의 자리 숫자 3에는 나누는 수 2가 1번 들어가고 1이 남습니다. 남은 십의 자리 숫자 1과 일의 자리 숫자 4는 14가 되고 14에는 나누는 수 2가 7번 들어갑니다.

① 48 ÷ 2 =

② 48 ÷ 3 =

③ 63 ÷ 3 =

④ 54 ÷ 2 =

⑤ 84 ÷ 2 =

⑥ 92 ÷ 4 =

⑦ 96 ÷ 3 =

⑧ 75 ÷ 5 =

⑨ 64 ÷ 2 =

⑩ 64 ÷ 4 =

세로셈으로 계산하세요.

4)48 → 몫의 십의 자리 1, 4×10 → 4

먼저 가장 큰 자리에 있는 십의 자리 숫자 4를 나누는 수 4로 나눈 몫을 씁니다. (4 ÷ 4 = 1)

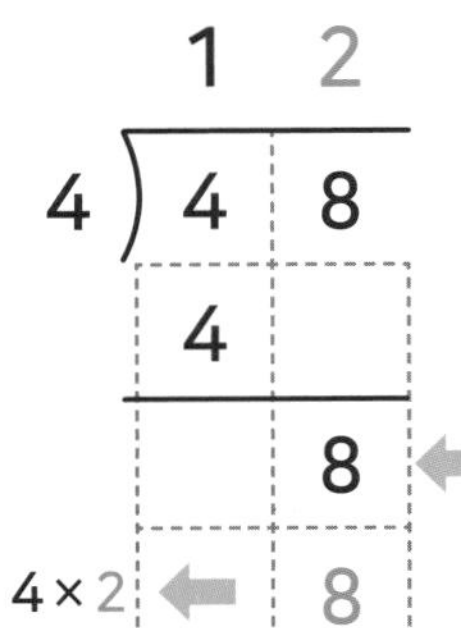

4 빼기 4는 0이고, 8은 그대로 내려 씁니다.

48 - 40

8을 나누는 수 4로 나눕니다. (8 ÷ 4 = 2)

① 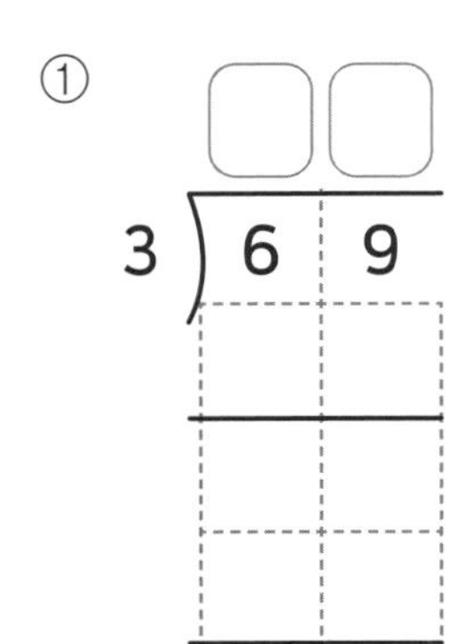

② 2) 4 6

③ 7) 7 7

④ 4) 4 8

⑤ 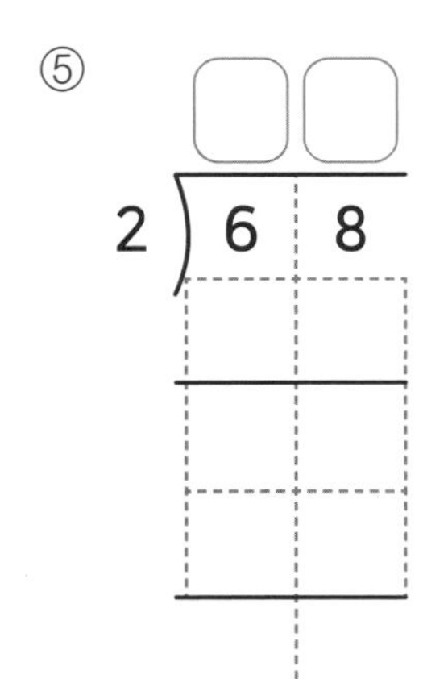

⑥ 3) 9 3

⑦ 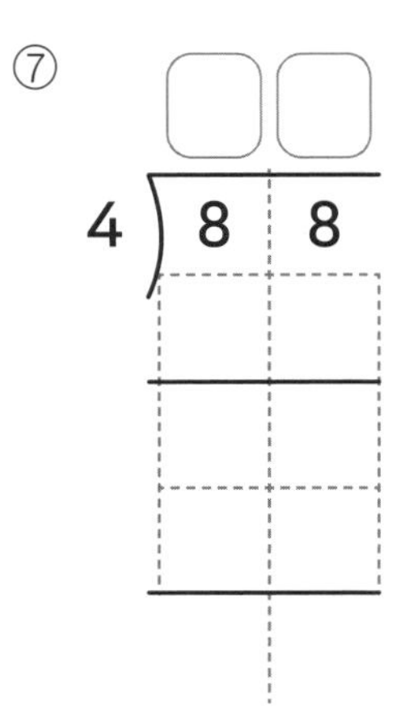

⑧ 2) 2 8

세로셈으로 계산하세요.

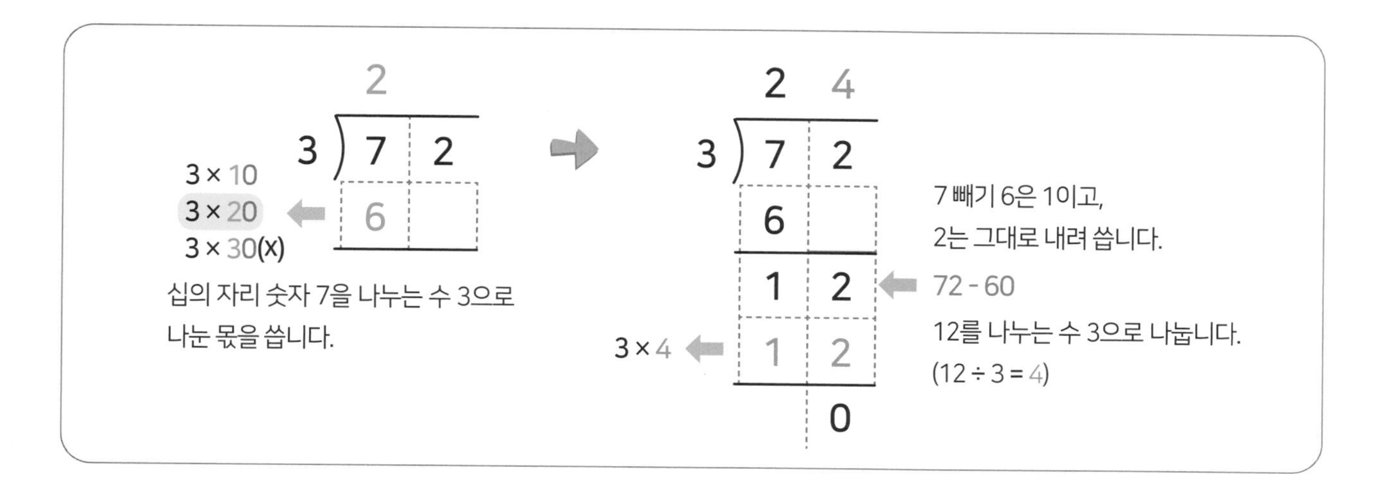

① 2) 5 6

② 4) 7 2

③ 4) 6 0

④ 3) 7 8

⑤ 5) 8 0

⑥ 4) 5 6

⑦ 3) 4 5

⑧ 2) 7 2

세로셈으로 계산하세요.

① $6\overline{)78}$

② $2\overline{)70}$

③ $3\overline{)87}$

④ $4\overline{)56}$

⑤ $4\overline{)84}$

⑥ $5\overline{)60}$

⑦ $3\overline{)51}$

⑧ $5\overline{)75}$

⑨ $6\overline{)96}$

⑩ $8\overline{)96}$

⑪ $3\overline{)81}$

⑫ $7\overline{)98}$

⑬ $4\overline{)68}$

⑭ $5\overline{)90}$

⑮ $2\overline{)54}$

⑯ $4\overline{)64}$

연산 퍼즐

공부한 날 월 일

같은 줄에서 나눗셈의 몫이 가장 작은 것에 ◯표 하세요.

$4\overline{)64}$	$3\overline{)48}$	$5\overline{)65}$
$2\overline{)42}$	$3\overline{)69}$	$4\overline{)88}$
$5\overline{)85}$	$2\overline{)38}$	$4\overline{)72}$
$6\overline{)54}$	$3\overline{)87}$	$7\overline{)84}$

빈 곳에 알맞은 수를 써넣으세요.

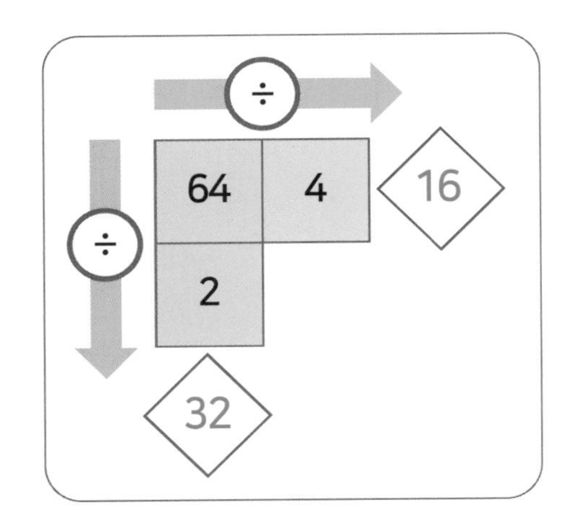

①

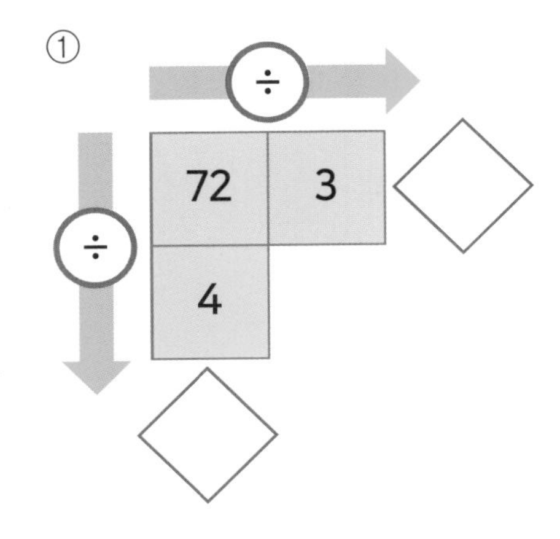

②

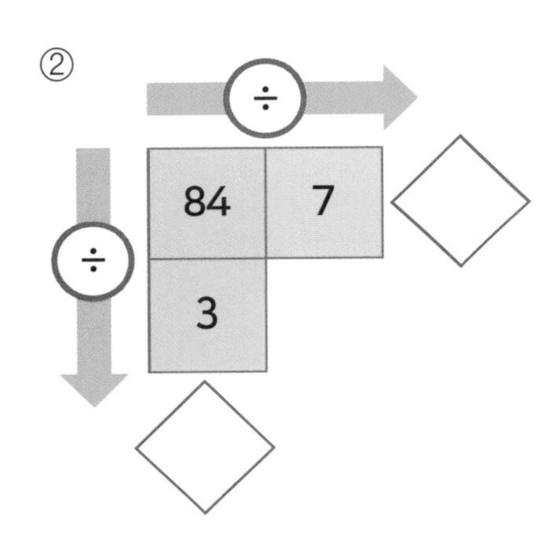

③

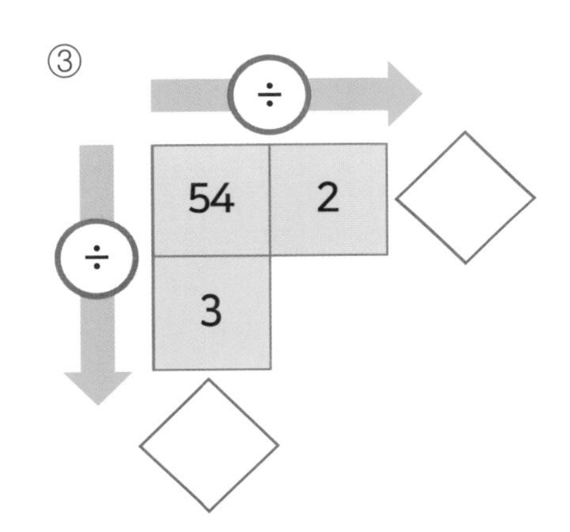

④

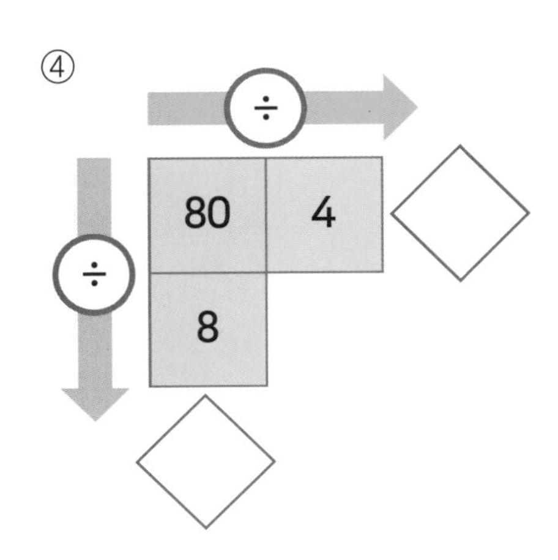

⑤

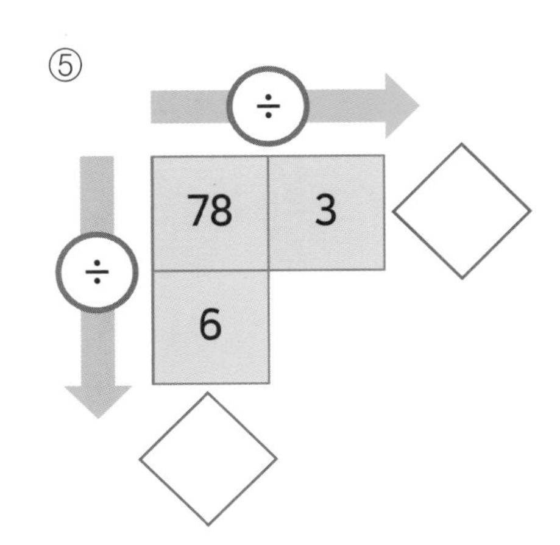

몫이 같은 것끼리 선으로 이으세요.

$51 \div 3$ •	• $4\overline{)52}$
$75 \div 5$ •	• $5\overline{)60}$
$24 \div 2$ •	• $2\overline{)34}$
$88 \div 8$ •	• $6\overline{)84}$
$91 \div 7$ •	• $2\overline{)30}$
$70 \div 5$ •	• $9\overline{)99}$

글과 그림을 보고 물음에 알맞은 식을 세우고 답을 구하세요.

교실에 다음과 같이 의자가 놓여 있습니다.

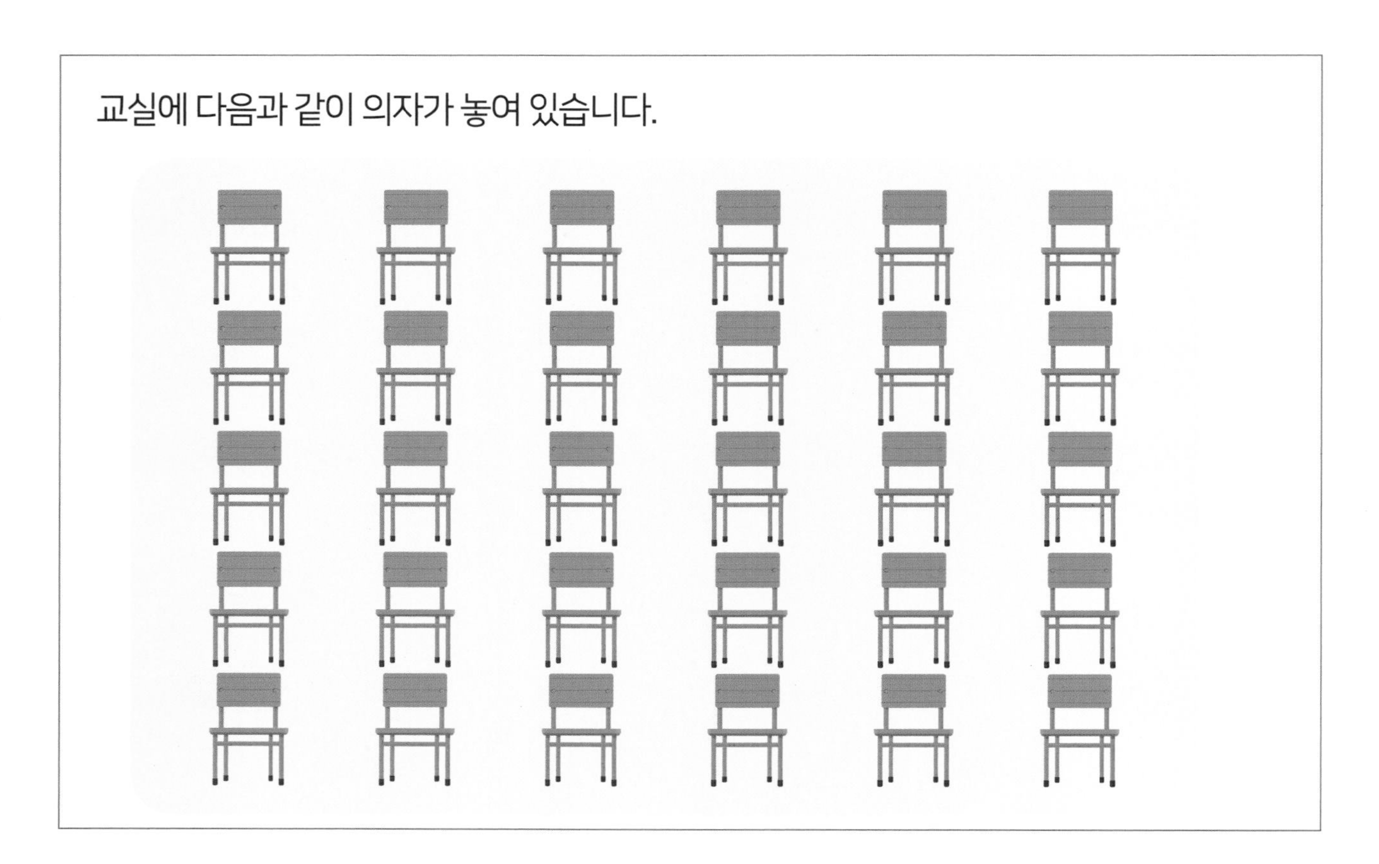

★ 놓여진 의자를 3개씩 한 줄로 놓으면 모두 몇 줄로 놓을 수 있을까요?

식 : $30 \div 3 = 10$ 답 : 10 줄

① 의자를 다시 2개씩 한 줄로 놓는다면 모두 몇 줄로 놓을 수 있을까요?

식 : ________________ 답 : ______ 줄

② 76개의 의자를 4개씩 한 줄로 놓으면 모두 몇 줄로 놓을 수 있을까요?

식 : ________________ 답 : ______ 줄

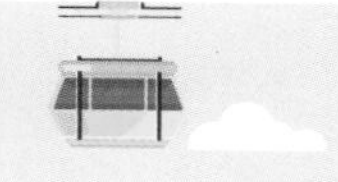

문제를 읽고 알맞은 식과 답을 써 보세요.

① 각각의 통에 담겨 있는 흰색과 검은색 바둑알의 개수는 같습니다. 한 곳에 모아 개수를 세어 보니 모두 90개일 때, 흰색 바둑알은 몇 개일까요?

식 : ____________________ 답 : ________ 개

② 42개의 사탕을 민지, 효영이, 규현이가 똑같이 나누어 가지려고 합니다. 한 사람이 몇 개씩의 사탕을 가져야 할까요?

식 : ____________________ 답 : ________ 개

③ 농장에 있는 오리들의 다리를 모두 세어 보니 70개였습니다. 농장에 있는 오리는 모두 몇 마리일까요?

식 : ____________________ 답 : ________ 마리

④ 60장의 색종이로 종이학, 종이거북이, 종이배, 종이비행기를 같은 개수가 되도록 접으려고 합니다. 각각 몇 개씩 접어야 할까요?

식 : ____________________ 답 : ________ 개

문제를 읽고 알맞은 식과 답을 써 보세요.

① 식당에서 달걀 80개를 삶아 한 사람당 5개씩 나눠주려고 합니다. 모두 몇 명에게 나눠줄 수 있을까요?

식 : ______________________ 답 : ________ 명

② 길이가 68 cm인 테이프를 2 cm씩 잘랐습니다. 길이가 2 cm인 테이프는 모두 몇 개가 생길까요?

식 : ______________________ 답 : ________ 개

③ 집에 사과가 56개 있는데 주현이네 가족 4명이 매일 하나씩 먹으려고 합니다. 사과를 모두 먹으려면 며칠이 걸릴까요?

식 : ______________________ 답 : ________ 일

④ 성호네 반 학생들이 도토리를 주워서 모아 보니 모두 91개였습니다. 7개의 바구니에 똑같이 나눠 담는다면 한 바구니에 몇 개씩의 도토리를 담아야 할까요?

식 : ______________________ 답 : ________ 개

2주차

나머지가 있는 (두 자리 수)÷(한 자리 수)

나눗셈의 몫과 나머지에 대하여 알아봅니다. 1일차에서는 나눗셈의 나머지를 보다 쉽게 이해시키기 위해 비교적 간단한 수로 연습해 볼 수 있도록 하였습니다. 나머지를 구하는 과정에서 실수하지 않도록 충분한 연습을 하도록 합니다.

한 자리 몫과 나머지

공부한 날 월 일

나눗셈의 몫과 나머지를 □에 써넣으세요.

37 ÷ 5

5×6 = 30
5×7 = 35
5×8 = 40(X)
:

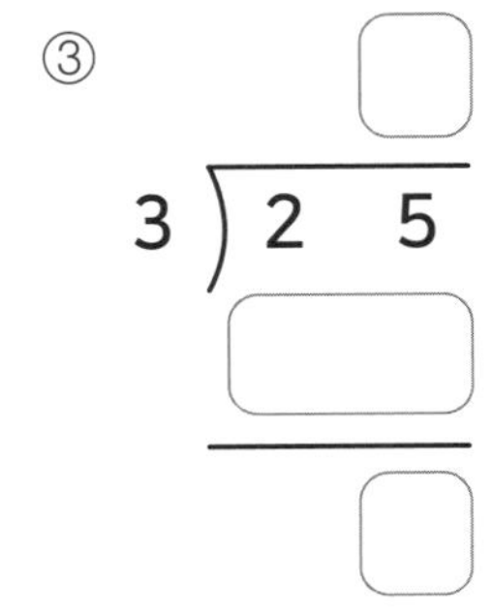

37을 5로 나누면 몫이 7이고, 2가 남습니다.

이때 2를 37 ÷ 5의 나머지라고 합니다.

37 ÷ 5 = 7 ⋯ 2 (몫 7, 나머지 2)

① 6) 5 8

② 7) 5 0

③ 3) 2 5

④ 9) 5 5

⑤ 42 ÷ 5 = □ ⋯ □

⑥ 29 ÷ 6 = □ ⋯ □

⑦ 13 ÷ 2 = □ ⋯ □

⑧ 84 ÷ 9 = □ ⋯ □

⑨ 26 ÷ 3 = □ ⋯ □

⑩ 65 ÷ 7 = □ ⋯ □

Tip 나머지는 더 이상 나눌 수 없을 때까지 나누고 남은 수이므로 항상 나누는 수보다 작은 수가 됩니다.

나눗셈을 계산하고 □에 알맞은 수를 써넣으세요.

48 ÷ 6 →

$$\begin{array}{r} 8 \\ 6\overline{)48} \\ \underline{48} \\ 0 \end{array}$$

몫 ← 8

나머지 ← 0

나머지가 0일 때 나누어 떨어진다고 합니다.

48 ÷ 6 = 8
몫 나머지 = 0

① $5\overline{)35}$

② $6\overline{)54}$

③ 15 ÷ 3

④ 64 ÷ 8

⑤ $7\overline{)49}$

⑥ $7\overline{)37}$

⑦ 62 ÷ 8

⑧ 36 ÷ 6

⑨ $6\overline{)56}$

⑩ $3\overline{)17}$

⑪ 40 ÷ 6

⑫ 29 ÷ 9

⑬ 나누어 떨어지는 나눗셈은 모두 □ 개입니다.

같은 줄에서 나머지가 다른 하나에 색칠하세요.

$7\overline{)60}$	$38 \div 5$	$58 \div 9$	$6\overline{)34}$
$43 \div 8$	$4\overline{)23}$	$6\overline{)53}$	$39 \div 6$
$36 \div 7$	$2\overline{)14}$	$54 \div 6$	$8\overline{)32}$
$49 \div 8$	$3\overline{)25}$	$38 \div 4$	$5\overline{)36}$
$6\overline{)26}$	$37 \div 7$	$3\overline{)20}$	$27 \div 8$

두 자리 몫과 나머지

공부한 날 월 일

세로셈으로 계산하세요.

40 ÷ 3 ➡

```
     1  3
  ┌──────
3 ) 4  0
    3
  ──────
    1  0
       9
  ──────
       1
```

몫 : 13
나머지 : 1

40 ÷ 3 = 13 ⋯ 1
(몫) (나머지)

```
     1  1
  ┌──────
5 ) 5  6
    5
  ──────
       6
       5
  ──────
       1
```

① 3) 7 0

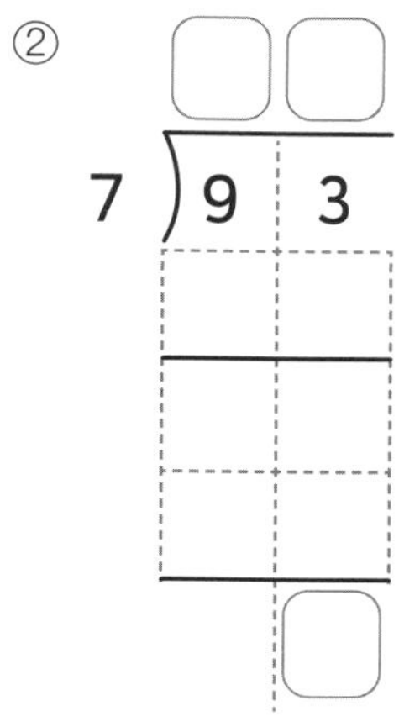

② 7) 9 3

③ 3) 7 6

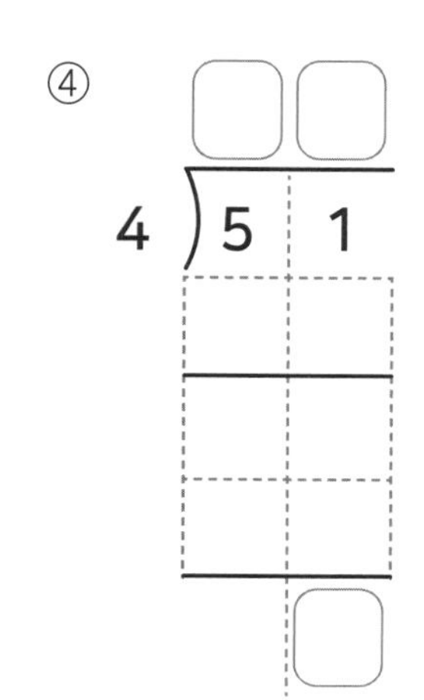

④ 4) 5 1

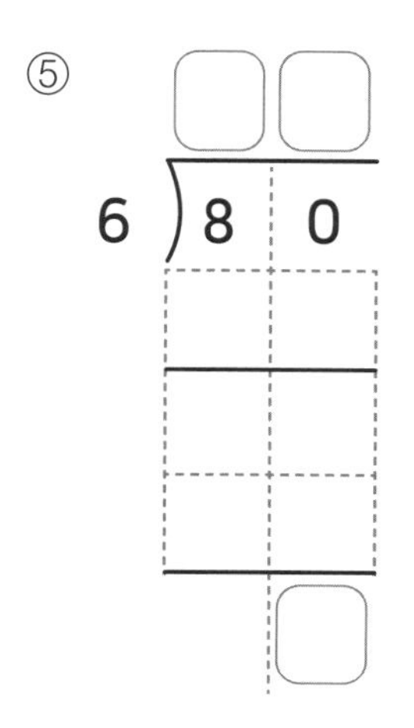

⑤ 6) 8 0

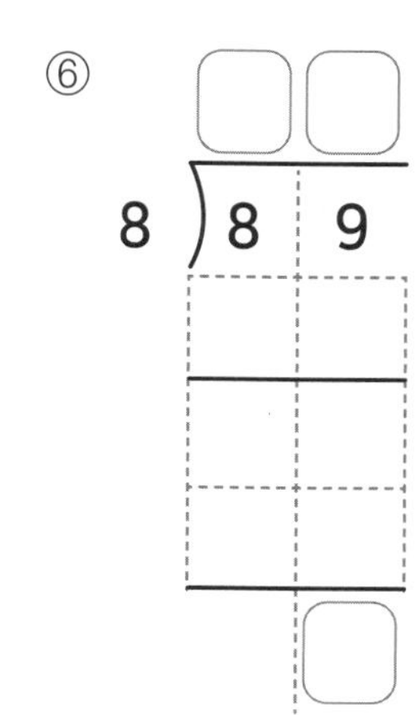

⑥ 8) 8 9

⑦ 3) 4 1

세로셈으로 계산하세요.

① $5\overline{)\,63}$

② $8\overline{)\,99}$

③ $2\overline{)\,45}$

④ $9\overline{)\,32}$

⑤ $6\overline{)\,83}$

⑥ $5\overline{)\,87}$

⑦ $3\overline{)\,50}$

⑧ $4\overline{)\,59}$

⑨ $7\overline{)\,94}$

⑩ $3\overline{)\,98}$

⑪ $6\overline{)\,71}$

⑫ $8\overline{)\,55}$

⑬ $2\overline{)\,39}$

⑭ $6\overline{)\,76}$

⑮ $4\overline{)\,93}$

⑯ $7\overline{)\,86}$

나눗셈의 몫과 나머지를 구하세요.

① $64 \div 6 = \square \cdots \square$

② $38 \div 3 = \square \cdots \square$

③ $59 \div 4 = \square \cdots \square$

④ $89 \div 8 = \square \cdots \square$

⑤ $95 \div 3 = \square \cdots \square$

⑥ $88 \div 5 = \square \cdots \square$

⑦ $43 \div 2 = \square \cdots \square$

⑧ $54 \div 5 = \square \cdots \square$

⑨ $69 \div 6 = \square \cdots \square$

⑩ $99 \div 7 = \square \cdots \square$

⑪ $86 \div 4 = \square \cdots \square$

⑫ $67 \div 2 = \square \cdots \square$

⑬ $55 \div 4 = \square \cdots \square$

⑭ $79 \div 6 = \square \cdots \square$

⑮ $47 \div 4 = \square \cdots \square$

⑯ $53 \div 3 = \square \cdots \square$

몫과 나머지 연습

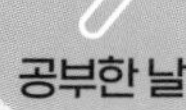
공부한 날 월 일

잘못 계산된 나눗셈을 바르게 고치세요.

$$\begin{array}{r} 18 \\ 4\overline{)77} \\ 4 \\ \hline 37 \\ 32 \\ \hline 5 \end{array} \rightarrow 4\overline{)77}$$

$$\begin{array}{r} 17 \\ 5\overline{)94} \\ 5 \\ \hline 44 \\ 35 \\ \hline 9 \end{array} \rightarrow 5\overline{)94}$$

$$\begin{array}{r} 25 \\ 2\overline{)53} \\ 4 \\ \hline 13 \\ 10 \\ \hline 3 \end{array} \rightarrow 2\overline{)53}$$

$$\begin{array}{r} 12 \\ 6\overline{)79} \\ 6 \\ \hline 19 \\ 12 \\ \hline 7 \end{array} \rightarrow 6\overline{)79}$$

$$\begin{array}{r} 13 \\ 7\overline{)99} \\ 7 \\ \hline 29 \\ 21 \\ \hline 8 \end{array} \rightarrow 7\overline{)99}$$

$$\begin{array}{r} 17 \\ 3\overline{)55} \\ 3 \\ \hline 25 \\ 21 \\ \hline 4 \end{array} \rightarrow 3\overline{)55}$$

□에는 나눗셈의 몫을, ○에는 나머지를 써넣으세요.

①

÷			
83	7	□	○
45	4	□	○
37	2	□	○
68	5	□	○
77	6	□	○

②

÷			
34	3	□	○
69	6	□	○
74	4	□	○
56	4	□	○
58	9	□	○

③

÷			
73	6	□	○
59	4	□	○
97	3	□	○
45	2	□	○
41	3	□	○

④

÷			
99	6	□	○
84	5	□	○
48	3	□	○
93	7	□	○
68	5	□	○

나눗셈의 몫과 나머지를 선으로 이어 보세요.

몫	나눗셈	나머지
12		4
13	$60 \div 4$	0
15	$63 \div 5$	1
14	$88 \div 6$	3

몫	나눗셈	나머지
17		1
10	$73 \div 7$	3
23	$89 \div 5$	2
25	$51 \div 2$	4

연산 퍼즐

공부한 날 월 일

□에 각각의 나눗셈의 몫을 큰 순서대로 쓰세요.

88 ÷ 7	43 ÷ 3
몫 : 12	몫 : 14
27 ÷ 2	94 ÷ 8
몫 : 13	몫 : 11

① 83 ÷ 5　52 ÷ 3　89 ÷ 6　60 ÷ 4

② 71 ÷ 2　92 ÷ 4　85 ÷ 3　99 ÷ 5

③ 55 ÷ 3　63 ÷ 6　88 ÷ 4　98 ÷ 7

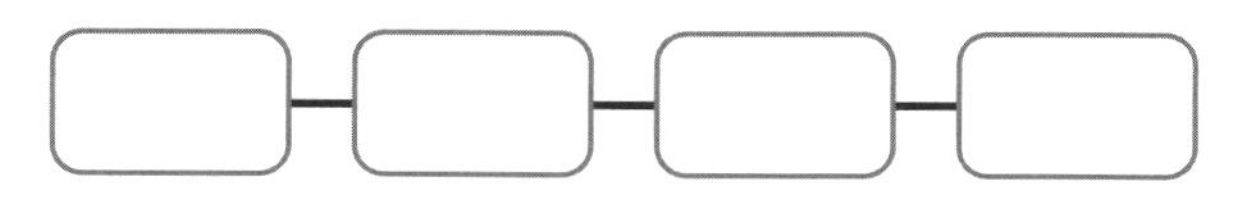

나눗셈의 나머지가 더 큰 쪽에 ○표 하세요.

$88 \div 7$ ( ) $63 \div 5$ ( )

$69 \div 5$ ( ) $94 \div 7$ ( )

$95 \div 4$ ( ) $98 \div 8$ ( )

$47 \div 3$ ( ) $83 \div 6$ ( )

$77 \div 5$ ( ) $51 \div 2$ ( )

$85 \div 4$ ( ) $81 \div 3$ ( )

$74 \div 6$ ( ) $27 \div 2$ ( )

$95 \div 9$ ( ) $62 \div 5$ ( )

$58 \div 4$ ( ) $73 \div 9$ ( )

$94 \div 8$ ( ) $85 \div 8$ ( )

$52 \div 8$ ( ) $63 \div 4$ ( )

$89 \div 5$ ( ) $95 \div 6$ ( )

나눗셈의 몫을 따라 출발점에서 도착점까지 선을 그어 보세요.

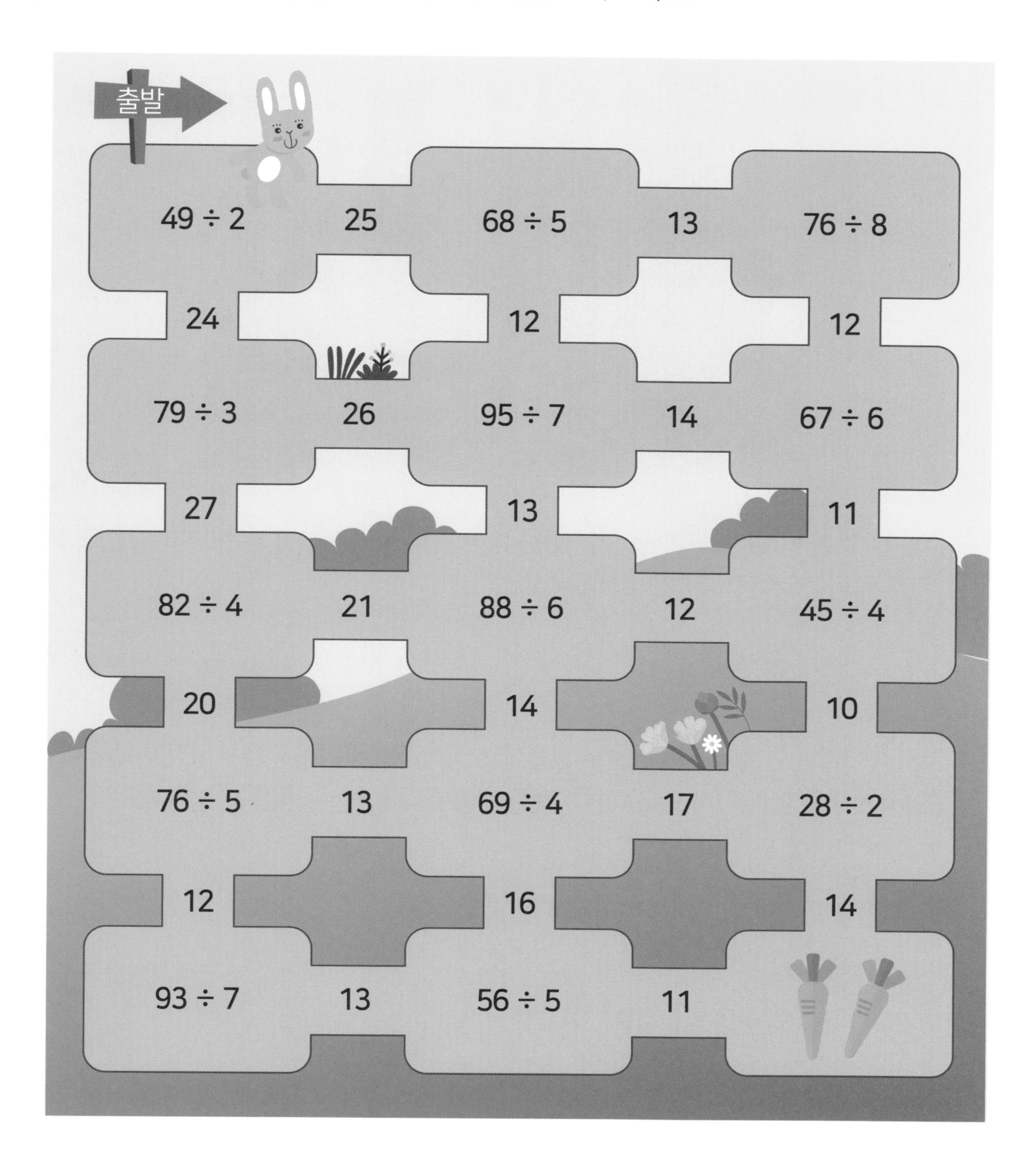

글과 그림을 보고 물음에 알맞은 식을 세우고 답을 구하세요.

보영이네 학교 학생 53명과 선생님 5명이 놀이공원으로 소풍을 갔습니다.

★ 대관람차 한 칸에는 4명씩 앉을 수 있습니다. 학생들끼리만 타면 몇 칸에 탈 수 있고, 선생님과 함께 타는 나머지 학생은 몇 명일까요?

식 : $53 \div 4 = 13 \cdots 1$ 답 : 13 칸, 1 명

① 코끼리 열차는 한 칸에 6명씩 탈 수 있습니다. 학생과 선생님을 합쳐서 58명이 열차에 탈 때 6명씩 모두 몇 칸에 타게 되고, 다른 사람들과 함께 타야 하는 사람은 몇 명일까요?

식 : ______ 답 : ____ 칸, ____ 명

② 4명이 타면 출발하는 놀이기구를 58명이 탔습니다. 짝이 맞지 않아서 다른 사람들과 함께 놀이기구를 탄 사람은 몇 명일까요?

식 : ______ 답 : ____ 명

문제를 읽고 알맞은 식과 답을 써 보세요.

① 수박 농장에서 80개의 수박을 수확하여 한 상자에 6개씩 담으려고 합니다. 몇 개의 상자에 담을 수 있고, 남는 수박은 몇 개일까요?

식 : ____________________ 답 : ______ 상자, ______ 개

② 동규네 학교 학생 74명이 봉사 활동을 다녀온 후 간식으로 피자를 먹으려고 합니다. 한 판에 5명씩 먹는다면 5명씩 먹는 피자는 몇 판이고, 나머지 피자 한 판은 몇 명이 먹어야 할까요?

식 : ____________________ 답 : ______ 판, ______ 명

③ 빵 40개가 있습니다. 빵을 세 사람이 똑같이 나누어 먹는다면 각각 몇 개씩 먹을 수 있고, 몇 개가 남을까요?

식 : ____________________ 답 : ______ 개, ______ 개

④ 예린이네 학교 학생 50명이 4명씩 모둠을 이루어 학교 곳곳을 청소하려고 합니다. 모두 몇 모둠이 생기고, 모둠을 이루지 못하는 학생은 몇 명일까요?

식 : ____________________ 답 : ______ 모둠, ______ 명

문제를 읽고 알맞은 식과 답을 써 보세요.

① 40명이 탄 버스에서 사람이 모두 내렸습니다. 내린 사람들을 한 줄에 6명씩 세운다면 모두 몇 줄을 만들 수 있고, 몇 명이 남을까요?

식 : ______________________ 답 : ______ 줄, ______ 명

② 장난감 자동차 67개를 상자에 담아 정리하려고 합니다. 한 상자에 4개씩 담는다면 모두 몇 상자에 담을 수 있고, 남는 장난감은 몇 개일까요?

식 : ______________________ 답 : ______ 상자, ______ 개

③ 쟁반 위에 딸기 19개가 있습니다. 딸기를 2개씩 묶는다면 몇 묶음이 되고, 몇 개의 딸기가 남을까요?

식 : ______________________ 답 : ______ 묶음, ______ 개

④ 기타를 만드는 데에는 6개의 줄이 사용됩니다. 기타 줄 93개를 가지고 만들 수 있는 기타는 몇 개이고, 몇 개의 줄이 남을까요?

식 : ______________________ 답 : ______ 개, ______ 줄

3주차

도전! 계산왕

(두 자리 수)÷(한 자리 수)

계산을 하세요.

① $6\overline{)23}$

② $7\overline{)55}$

③ $4\overline{)51}$

④ $3\overline{)79}$

⑤ $7\overline{)95}$

⑥ $4\overline{)14}$

⑦ $5\overline{)21}$

⑧ $9\overline{)81}$

⑨ $77 \div 9 =$

⑩ $76 \div 7 =$

⑪ $32 \div 9 =$

⑫ $75 \div 2 =$

⑬ $95 \div 6 =$

⑭ $64 \div 7 =$

(두 자리 수)÷(한 자리 수)

공부한 날	월 일
점수	/14

계산을 하세요.

① $5\overline{)76}$

② $2\overline{)41}$

③ $5\overline{)47}$

④ $3\overline{)66}$

⑤ $5\overline{)20}$

⑥ $9\overline{)71}$

⑦ $6\overline{)73}$

⑧ $8\overline{)39}$

⑨ $87 \div 5 =$

⑩ $69 \div 4 =$

⑪ $86 \div 8 =$

⑫ $87 \div 9 =$

⑬ $22 \div 8 =$

⑭ $35 \div 6 =$

(두 자리 수)÷(한 자리 수)

공부한 날	월 일
점수	/14

계산을 하세요.

① $5\overline{)57}$

② $4\overline{)65}$

③ $8\overline{)19}$

④ $5\overline{)96}$

⑤ $8\overline{)72}$

⑥ $3\overline{)89}$

⑦ $6\overline{)36}$

⑧ $7\overline{)14}$

⑨ $31 \div 9 =$

⑩ $34 \div 4 =$

⑪ $67 \div 7 =$

⑫ $23 \div 4 =$

⑬ $27 \div 7 =$

⑭ $77 \div 4 =$

(두 자리 수)÷(한 자리 수)

공부한 날 월 일
점수 /14

계산을 하세요.

① $2\overline{)11}$

② $5\overline{)32}$

③ $7\overline{)53}$

④ $2\overline{)86}$

⑤ $7\overline{)84}$

⑥ $5\overline{)78}$

⑦ $4\overline{)21}$

⑧ $3\overline{)60}$

⑨ $99 \div 7 =$

⑩ $52 \div 7 =$

⑪ $17 \div 3 =$

⑫ $46 \div 7 =$

⑬ $41 \div 4 =$

⑭ $75 \div 4 =$

(두 자리 수)÷(한 자리 수)

계산을 하세요.

① $2\overline{)43}$

② $9\overline{)86}$

③ $3\overline{)77}$

④ $7\overline{)57}$

⑤ $7\overline{)61}$

⑥ $6\overline{)22}$

⑦ $4\overline{)78}$

⑧ $5\overline{)11}$

⑨ $22 \div 7 =$

⑩ $16 \div 6 =$

⑪ $82 \div 4 =$

⑫ $27 \div 8 =$

⑬ $51 \div 2 =$

⑭ $60 \div 3 =$

(두 자리 수)÷(한 자리 수)

공부한 날	월 일
점수	/14

계산을 하세요.

① $7\overline{)70}$

② $6\overline{)72}$

③ $4\overline{)65}$

④ $6\overline{)39}$

⑤ $2\overline{)41}$

⑥ $7\overline{)44}$

⑦ $5\overline{)52}$

⑧ $6\overline{)20}$

⑨ $59 \div 6 =$

⑩ $43 \div 3 =$

⑪ $82 \div 8 =$

⑫ $11 \div 8 =$

⑬ $90 \div 7 =$

⑭ $81 \div 8 =$

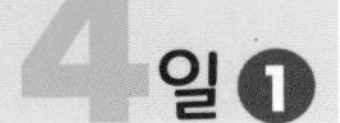

(두 자리 수)÷(한 자리 수)

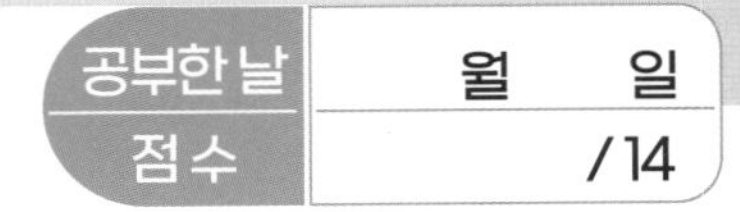

계산을 하세요.

① $8\overline{)51}$

② $6\overline{)60}$

③ $3\overline{)30}$

④ $6\overline{)63}$

⑤ $2\overline{)37}$

⑥ $4\overline{)31}$

⑦ $8\overline{)80}$

⑧ $3\overline{)58}$

⑨ $64 \div 8 =$

⑩ $92 \div 6 =$

⑪ $55 \div 9 =$

⑫ $72 \div 7 =$

⑬ $12 \div 4 =$

⑭ $22 \div 3 =$

(두 자리 수)÷(한 자리 수)

공부한 날 월 일
점수 /14

계산을 하세요.

① $4\overline{)30}$

② $5\overline{)95}$

③ $4\overline{)20}$

④ $3\overline{)87}$

⑤ $6\overline{)64}$

⑥ $6\overline{)42}$

⑦ $7\overline{)47}$

⑧ $2\overline{)19}$

⑨ $71 \div 7 =$

⑩ $90 \div 3 =$

⑪ $22 \div 7 =$

⑫ $53 \div 6 =$

⑬ $62 \div 6 =$

⑭ $36 \div 7 =$

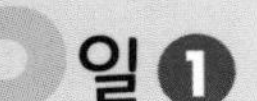

(두 자리 수)÷(한 자리 수)

계산을 하세요.

① $8\overline{)\,47}$

② $9\overline{)\,93}$

③ $2\overline{)\,18}$

④ $6\overline{)\,58}$

⑤ $4\overline{)\,46}$

⑥ $4\overline{)\,64}$

⑦ $5\overline{)\,33}$

⑧ $8\overline{)\,29}$

⑨ $48 \div 9 =$

⑩ $60 \div 4 =$

⑪ $69 \div 7 =$

⑫ $93 \div 5 =$

⑬ $42 \div 6 =$

⑭ $26 \div 8 =$

(두 자리 수)÷(한 자리 수)

공부한 날 월 일
점수 /14

계산을 하세요.

① $3\overline{)55}$

② $7\overline{)46}$

③ $8\overline{)98}$

④ $3\overline{)44}$

⑤ $9\overline{)75}$

⑥ $8\overline{)44}$

⑦ $6\overline{)96}$

⑧ $7\overline{)91}$

⑨ $56 \div 5 =$

⑩ $32 \div 2 =$

⑪ $14 \div 9 =$

⑫ $58 \div 7 =$

⑬ $48 \div 5 =$

⑭ $66 \div 3 =$

MEMO

4주차

나머지가 없는 (세 자리 수)÷(한 자리 수)

1일차에서 (세 자리 수)÷(한 자리 수)의 나눗셈 원리를 이해합니다. 2일차와 3일차는 모든 자리에서 나눌 수 있는 경우와 나눌 수 없는 자리가 있는 경우로 나누어서 다루었습니다. 세로셈으로 계산할 때 계산 과정은 같지만 수의 단위가 커졌으므로 더 신중하게 연습합니다.

(몇백몇십)÷(몇)

알맞게 동전을 묶고 □에 알맞은 수를 써넣으세요.

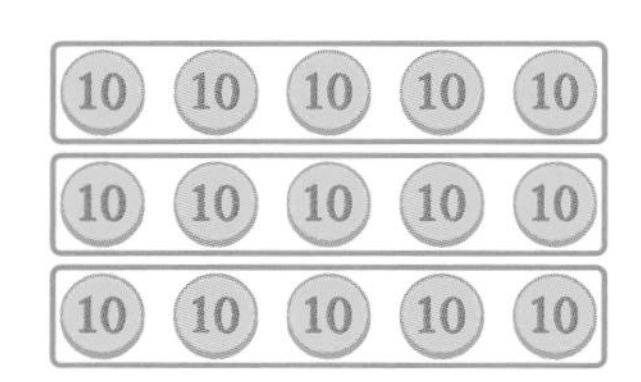

동전 15개를 3명에게 나누어 주면 5개씩 ➡ $15 \div 3 = \boxed{5}$

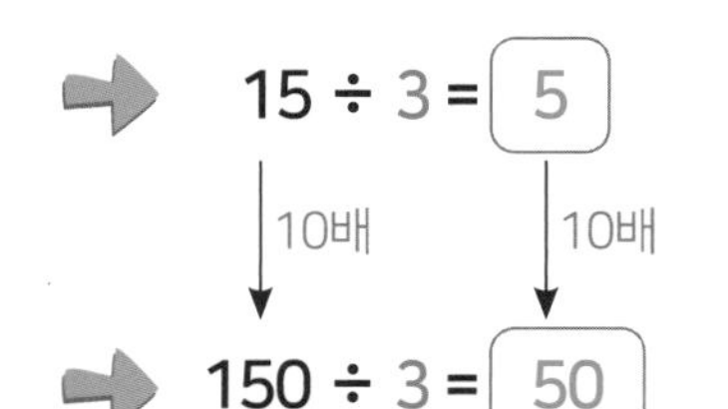

150원을 3명에게 나누어 주면 50원씩 ➡ $150 \div 3 = \boxed{50}$

① 동전 12개를 4명에게 나누어 줍니다.

$12 \div 4 = \square$

$120 \div 4 = \square$

② 동전 18개를 3명에게 나누어 줍니다.

$18 \div 3 = \square$

$180 \div 3 = \square$

③ 동전 20개를 5명에게 나누어 줍니다.

$20 \div 5 = \square$

$200 \div 5 = \square$

④ 동전 24개를 6명에게 나누어 줍니다.

$24 \div 6 = \square$

$240 \div 6 = \square$

계산을 하세요.

① $15 \div 3 =$ ☐
➡ $150 \div 3 =$ ☐

② $56 \div 4 =$ ☐
➡ $560 \div 4 =$ ☐

③ $24 \div 2 =$ ☐
➡ $240 \div 2 =$ ☐

④ $70 \div 5 =$ ☐
➡ $700 \div 5 =$ ☐

⑤ $84 \div 6 =$ ☐
➡ $840 \div 6 =$ ☐

⑥ $42 \div 2 =$ ☐
➡ $420 \div 2 =$ ☐

⑦ $96 \div 8 =$ ☐
➡ $960 \div 8 =$ ☐

⑧ $54 \div 6 =$ ☐
➡ $540 \div 6 =$ ☐

⑨ $91 \div 7 =$ ☐
➡ $910 \div 7 =$ ☐

⑩ $75 \div 5 =$ ☐
➡ $750 \div 5 =$ ☐

계산을 하세요.

① $640 \div 4 =$

② $720 \div 6 =$

③ $320 \div 8 =$

④ $540 \div 9 =$

⑤ $250 \div 5 =$

⑥ $360 \div 3 =$

⑦ $960 \div 6 =$

⑧ $420 \div 7 =$

⑨ $930 \div 3 =$

⑩ $640 \div 8 =$

⑪ $180 \div 9 =$

⑫ $480 \div 6 =$

⑬ $840 \div 4 =$

⑭ $560 \div 8 =$

(몇백몇십몇)÷(몇)

월 일

세로셈으로 계산하세요.

$$\begin{array}{r} 2 \\ 3\overline{)735} \\ 6 \end{array}$$

3×2 ← 6

먼저 가장 큰 자리에 있는 백의 자리의 7을 나누는 수 3으로 나눈 몫을 씁니다.

$$\begin{array}{r} 24 \\ 3\overline{)735} \\ 6 \\ \hline 13 \\ 12 \\ \hline \end{array}$$

3×4 ← 12

7 빼기 6은 1이고, 3은 그대로 내려 씁니다.
13을 나누는 수 3으로 나눈 몫을 씁니다.

$$\begin{array}{r} 245 \\ 3\overline{)735} \\ 6 \\ \hline 13 \\ 12 \\ \hline 15 \\ 15 \\ \hline 0 \end{array}$$

3×5 ← 15

3 빼기 2는 1이고, 5는 그대로 내려 씁니다.
15를 나누는 수 3으로 나눈 몫을 씁니다.

① 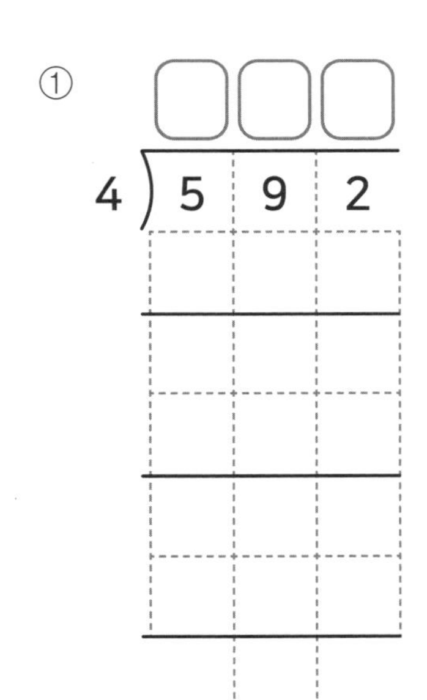

② 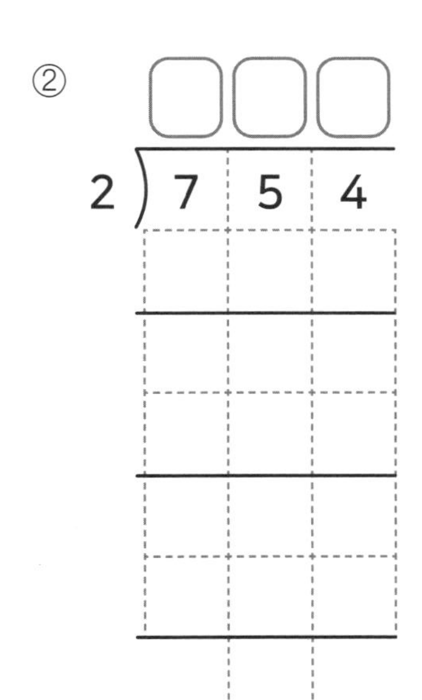

③ 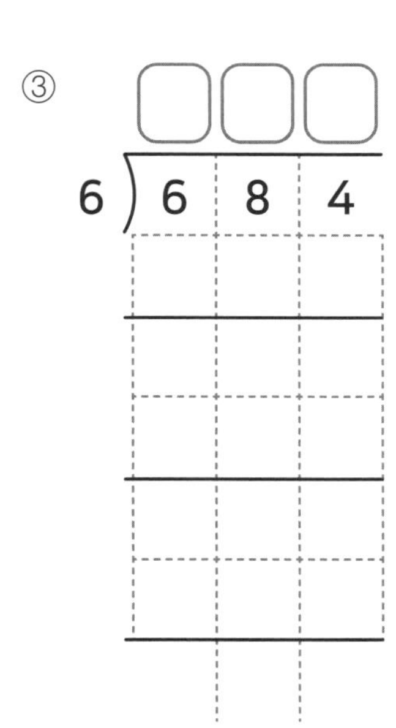

세로셈으로 계산하세요.

① $3 \overline{)834}$

② $5 \overline{)945}$

③ $2 \overline{)576}$

④ $4 \overline{)732}$

⑤ $6 \overline{)912}$

⑥ $3 \overline{)471}$

세로셈으로 계산하세요.

①
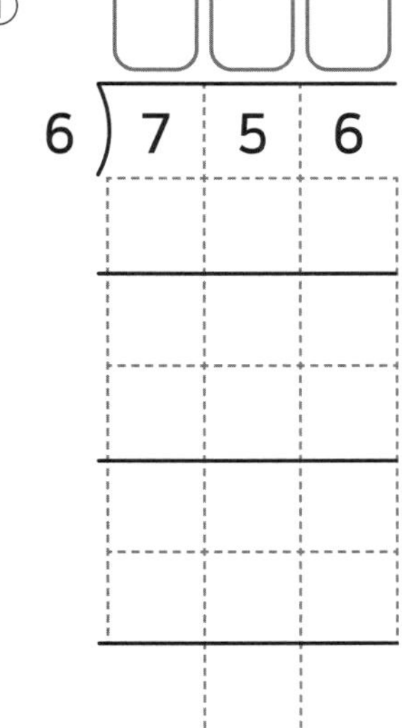

②
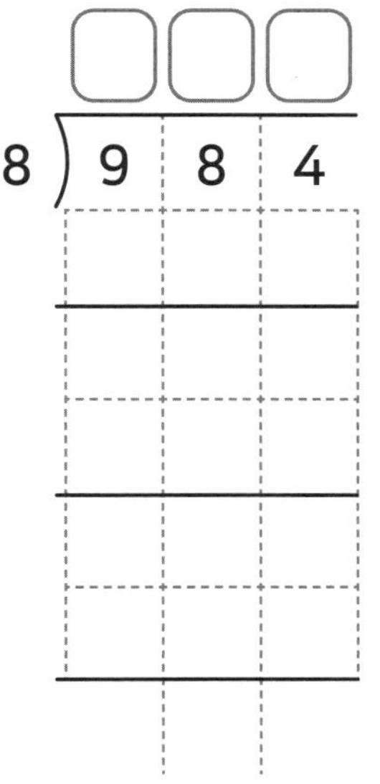

③
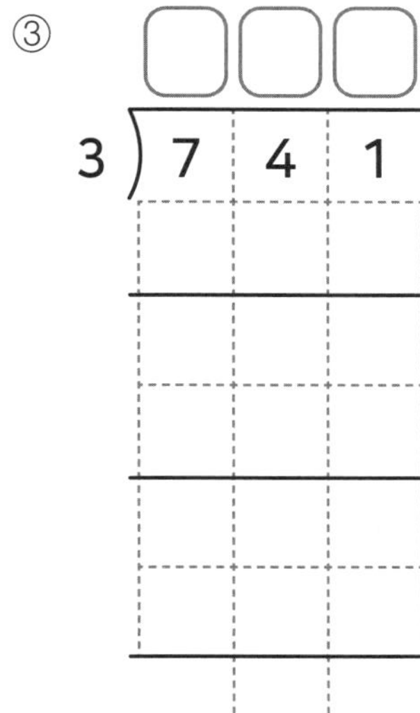

④
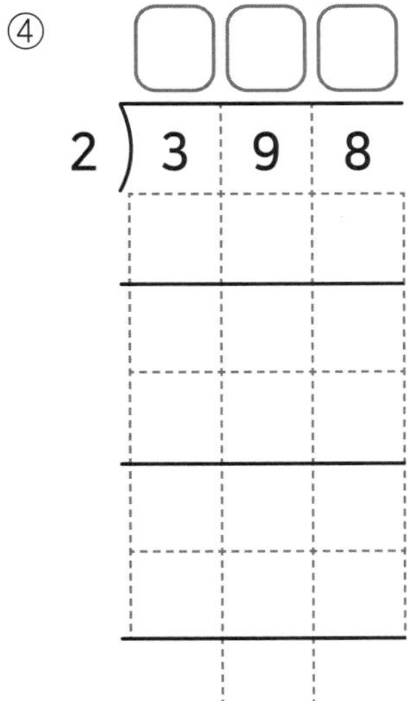

⑤
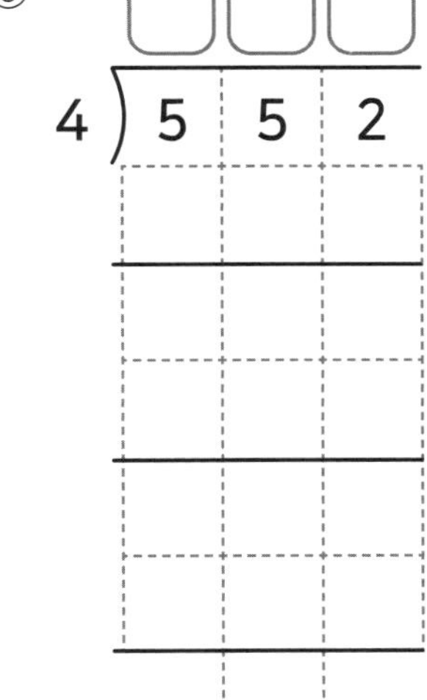

⑥
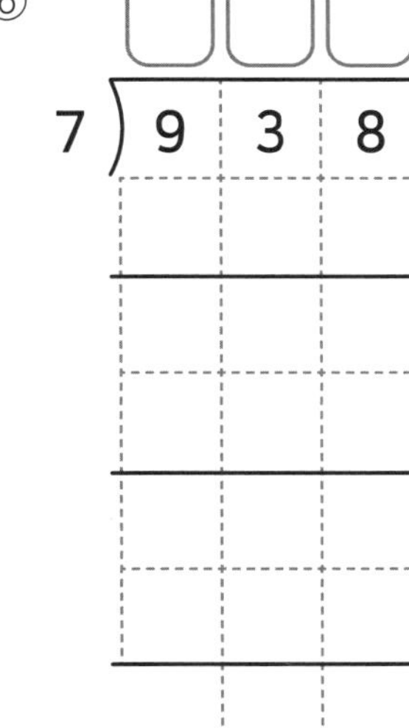

나눌 수 없는 자리가 있는 경우

세로셈으로 계산하세요.

$4\overline{)256}$ → 백의 자리의 2를 나누는 수 4로 나눌 수 없으므로 몫의 백의 자리는 비워둡니다.

$4\overline{)256}$, 몫 6, 4×6 = 24 → 백의 자리와 십의 자리의 25를 나누는 수 4로 나눈 몫을 씁니다.

$4\overline{)256}$, 몫 64, 24, 16, 4×4 = 16, 0

5 빼기 4는 1이고, 6은 그대로 내려 씁니다. 16을 나누는 수 4로 나눈 몫을 씁니다.

① 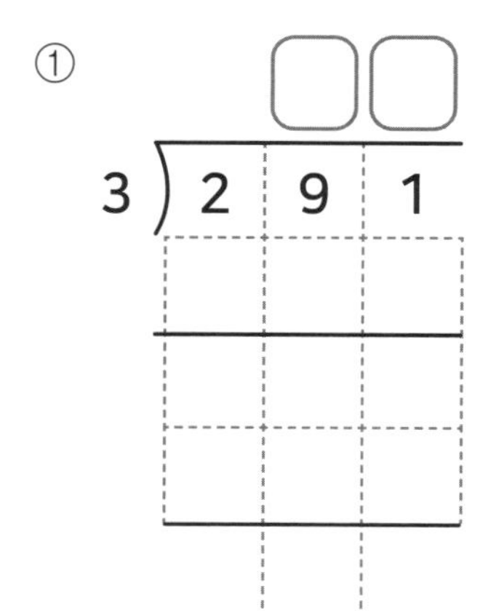

② 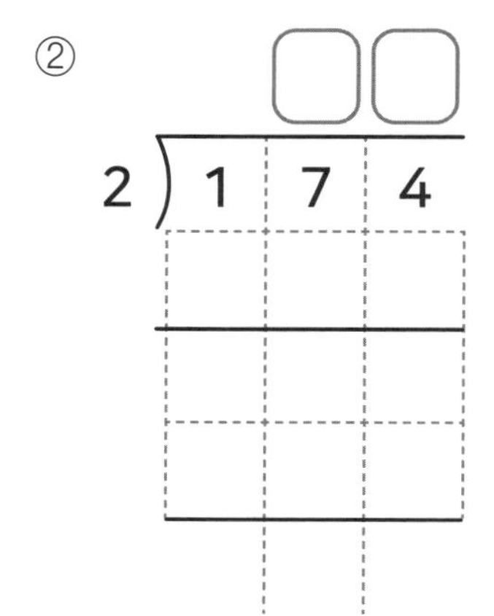

③ 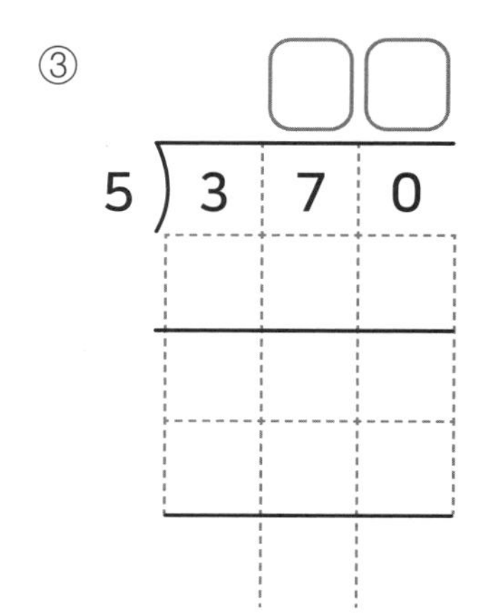

④ 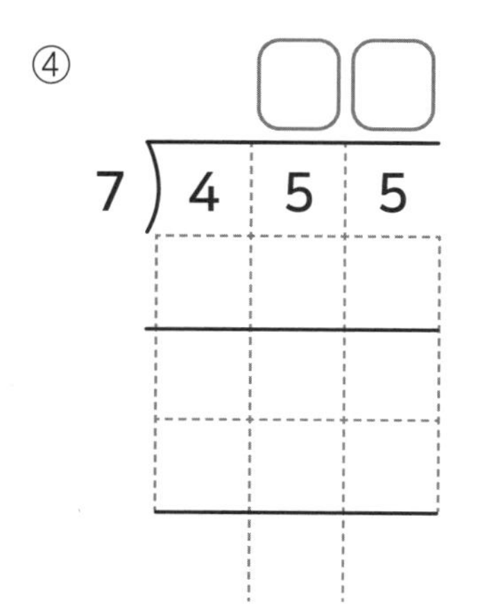

⑤ 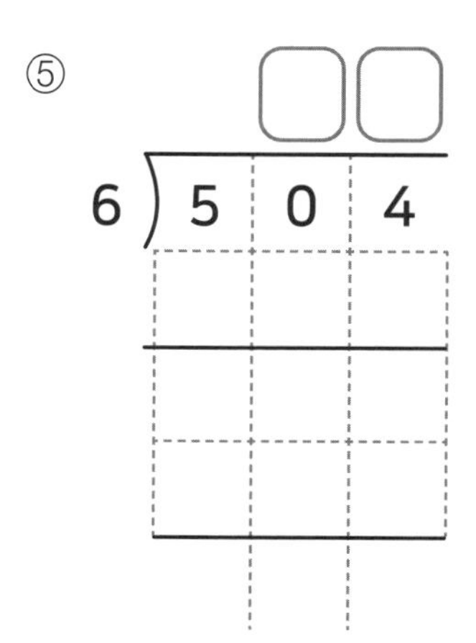

⑥ 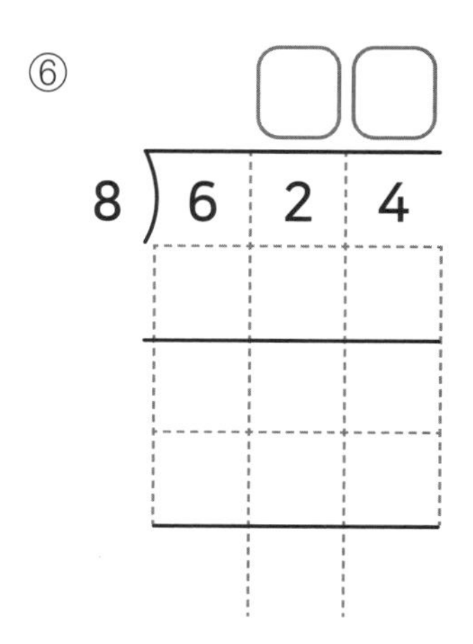

세로셈으로 계산하세요.

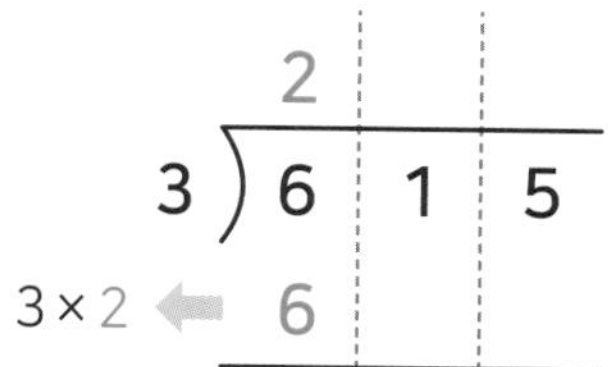

백의 자리의 6을 나누는 수 3으로 나눈 몫을 씁니다.

$$\begin{array}{r} 20 \\ 3\,\overline{)\,615} \\ 6 \\ \hline \end{array}$$

십의 자리의 1을 나누는 수 3으로 나눌 수 없으므로 몫의 십의 자리에 0을 씁니다.

$$\begin{array}{r} 205 \\ 3\,\overline{)\,615} \\ 6 \\ \hline 15 \\ 15 \\ \hline 0 \end{array}$$

3×5

십의 자리의 1과 일의 자리의 5는 그대로 내려 쓰고, 15를 나누는 수 3으로 나눈 몫을 씁니다.

①

$$3\,\overline{)\,318}$$

②

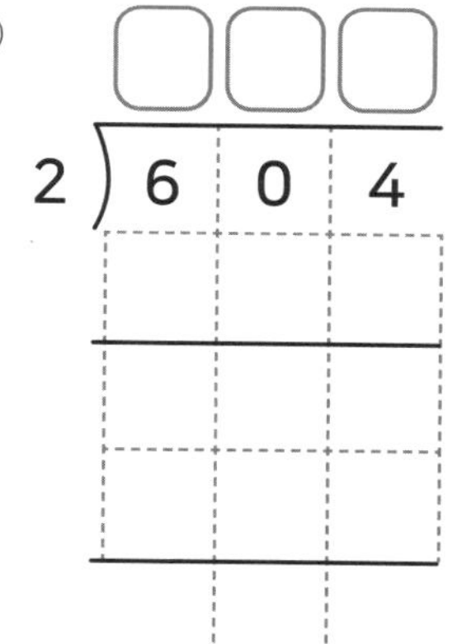

③

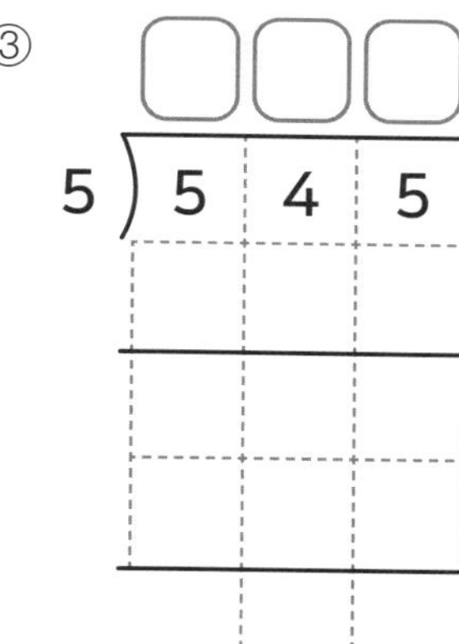

④

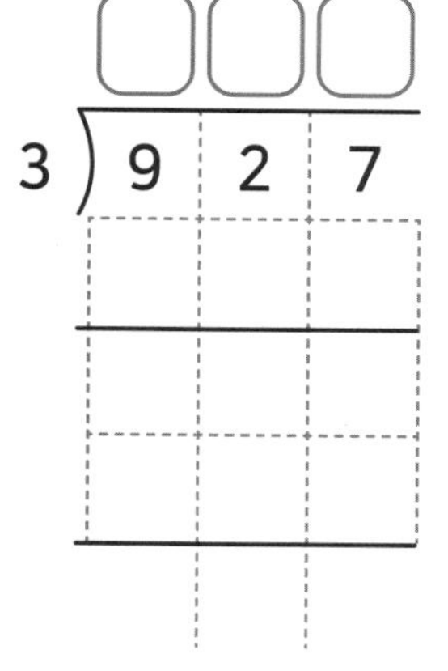

⑤

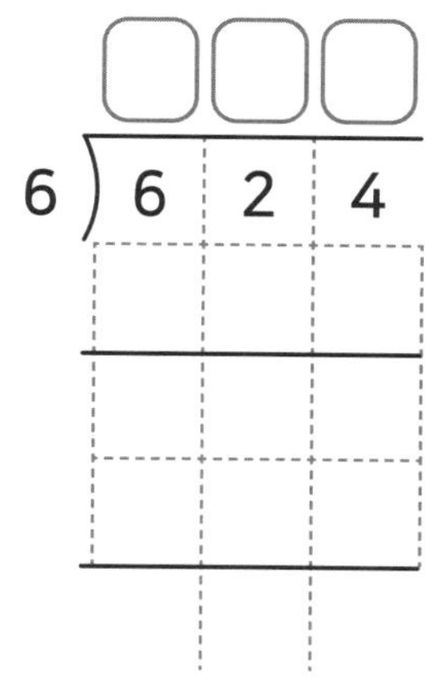

⑥

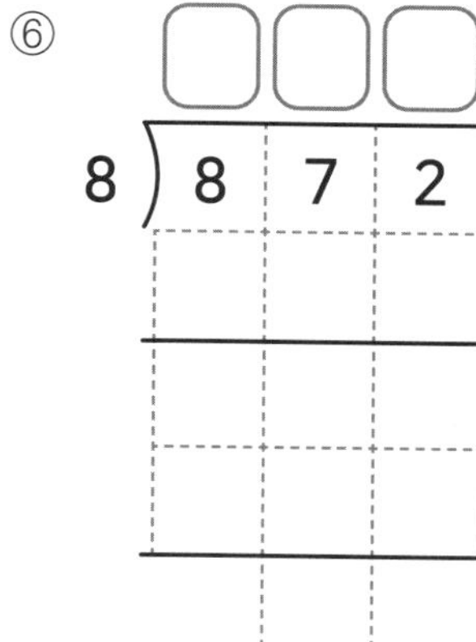

세로셈으로 계산하세요.

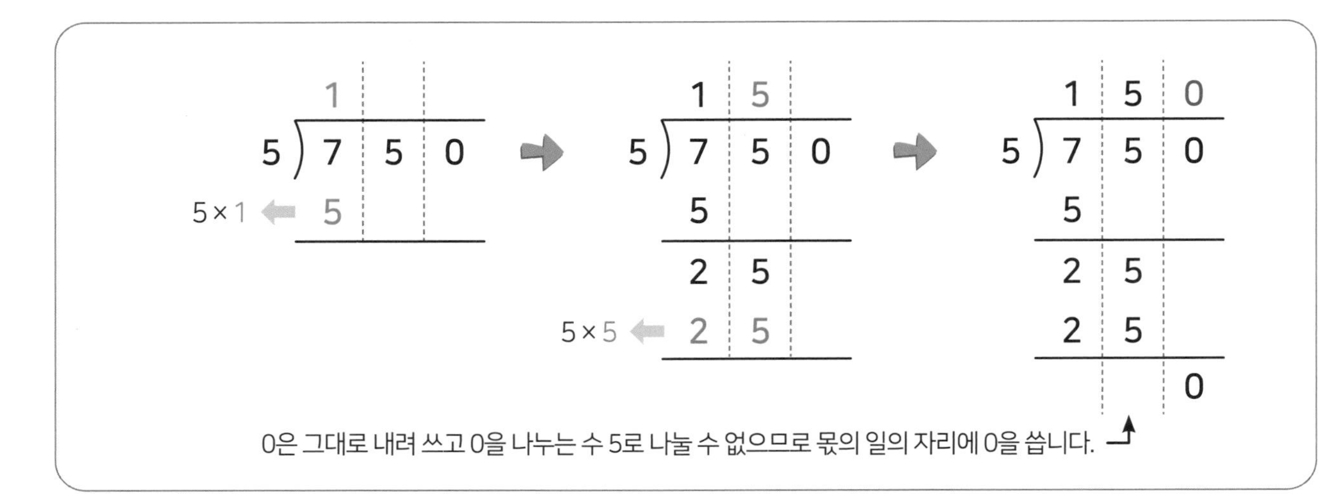

① $450 \div 3$ (3)4 5 0

② $520 \div 2$ (2)5 2 0

③ $650 \div 5$ (5)6 5 0

④ $840 \div 7$ (7)8 4 0

⑤ $960 \div 6$ (6)9 6 0

⑥ $680 \div 4$ (4)6 8 0

세로셈 연습

공부한 날 월 일

세로셈으로 계산하세요.

① $3\overline{)837}$

② $7\overline{)406}$

③ $6\overline{)336}$

④ $8\overline{)832}$

⑤ $2\overline{)190}$

⑥ $4\overline{)628}$

⑦ $6\overline{)408}$

⑧ $9\overline{)936}$

⑨ $5\overline{)315}$

⑩ $7\overline{)854}$

⑪ $4\overline{)360}$

⑫ $3\overline{)927}$

세로셈으로 계산하세요.

① $4\overline{)296}$

② $8\overline{)928}$

③ $6\overline{)780}$

④ $5\overline{)545}$

⑤ $2\overline{)112}$

⑥ $7\overline{)833}$

⑦ $3\overline{)621}$

⑧ $8\overline{)984}$

⑨ $9\overline{)387}$

⑩ $6\overline{)654}$

⑪ $4\overline{)960}$

⑫ $5\overline{)245}$

같은 줄에서 나눗셈의 몫이 가장 큰 것에 ◯표 하세요.

$8\overline{)896}$	$7\overline{)826}$	$6\overline{)702}$
$5\overline{)325}$	$6\overline{)384}$	$4\overline{)252}$
$3\overline{)840}$	$2\overline{)212}$	$4\overline{)376}$

문장제

글과 그림을 보고 물음에 알맞은 식을 세우고 답을 구하세요.

농장에서 포도 468송이를 수확하여 상자에 나누어 담으려고 합니다.

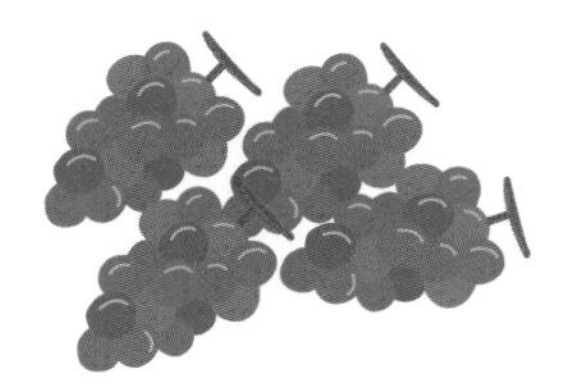

★ 한 상자에 2송이씩 나누어 담으면 모두 몇 개의 상자가 필요할까요?

식 : $468 \div 2 = 234$ 답 : 234 상자

① 한 상자에 4송이씩 나누어 담으면 모두 몇 개의 상자가 필요할까요?

식 : ________ 답 : ________ 상자

② 한 상자에 6송이씩 나누어 담으면 모두 몇 개의 상자가 필요할까요?

식 : ________ 답 : ________ 상자

문제를 읽고 알맞은 식과 답을 써 보세요.

① 4장으로 되어 있는 가정 통신문을 학생들에게 나누어 주려고 합니다. 종이 336장으로 가정 통신문을 만든다면 몇 명의 학생들에게 나눠줄 수 있을까요?

식 : ______________________ 답 : ________ 명

② 지우개를 6개씩 묶어서 768원에 팔고 있습니다. 지우개 한 개의 가격은 얼마일까요?

식 : ______________________ 답 : ________ 원

③ 학생 308명을 7대의 버스에 똑같이 나누어 태우려고 합니다. 버스 한 대에 몇 명씩 태워야 할까요?

식 : ______________________ 답 : ________ 명

④ 분식점에서 1인분에 만두 6개씩을 접시에 담으려고 합니다. 만두 144개는 몇 인분을 담을 수 있을까요?

식 : ______________________ 답 : ________ 인분

문제를 읽고 알맞은 식과 답을 써 보세요.

① 수연이는 같은 종류의 사탕 6개를 사고 840원을 계산하였습니다. 수연이가 산 사탕 한 개의 가격은 얼마일까요?

식 : ______________________ 답 : __________ 원

② 우유 763 mL를 컵 7개에 똑같이 나누어 따랐습니다. 우유 한 컵의 양은 몇 mL일까요?

식 : ______________________ 답 : __________ mL

③ 책 215쪽을 매일 똑같은 양을 읽어 5일 동안 다 읽으려고 합니다. 하루에 몇 쪽씩 읽어야 할까요?

식 : ______________________ 답 : __________ 쪽

④ 귤 928개를 8박스에 똑같이 나누어 담으려고 합니다. 박스 한 개에 담긴 귤은 몇 개일까요?

식 : ______________________ 답 : __________ 개

5주차

나머지가 있는 (세 자리 수)÷(한 자리 수)

나머지가 있는 (세 자리 수)÷(한 자리 수)를 연습합니다. 1일차의 내용은 모든 자리에서 나눌 수 있는 경우로 몫이 세 자리 수이고 몫에 숫자 0이 없습니다. 2일차의 내용은 나눌 수 없는 자리가 있는 경우로 몫이 두 자리 수이거나 몫에 숫자 0이 있습니다.

(몇백몇십몇)÷(몇)의 몫과 나머지

공부한 날 월

나눗셈의 몫과 나머지를 구하세요.

(예시) 4) 939 → 몫 234
- 8
- 13
- 12
- 19
- 16
- 3

① 5) 643

② 7) 851

③ 3) 847

④ 6) 946

⑤ 2) 565

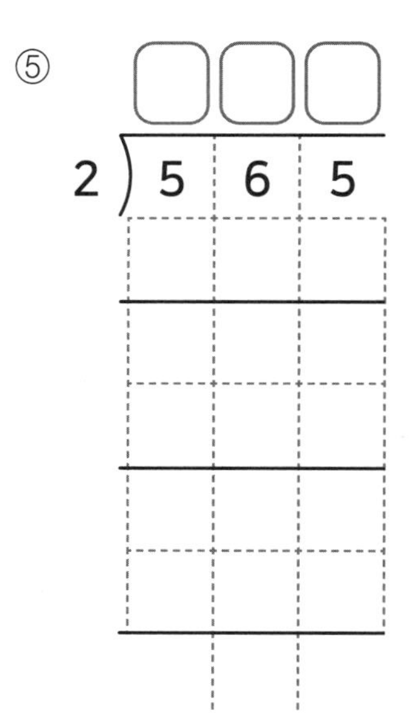

나눗셈의 몫과 나머지를 구하세요.

① 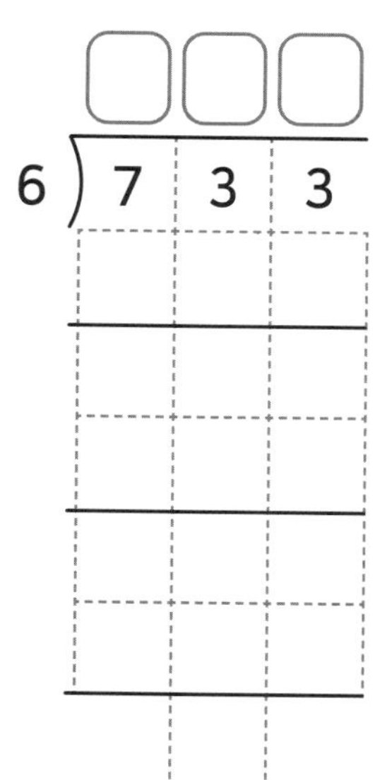

$6\overline{)733}$

② $4\overline{)647}$

③ $5\overline{)869}$

④ $7\overline{)927}$

⑤ 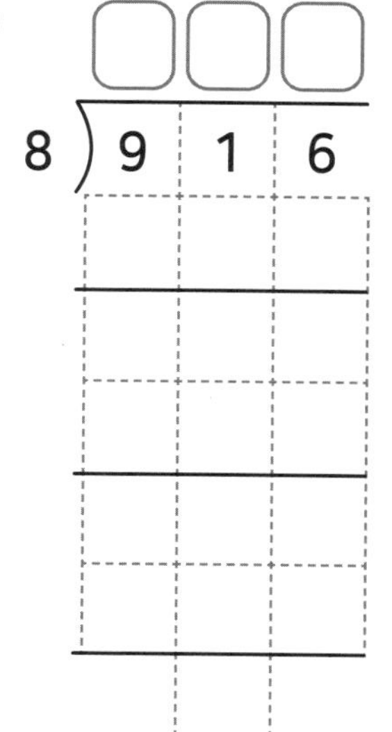

$8\overline{)916}$

⑥ 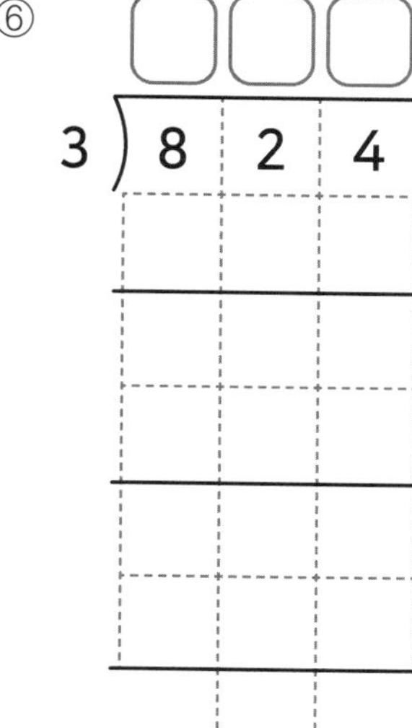

$3\overline{)824}$

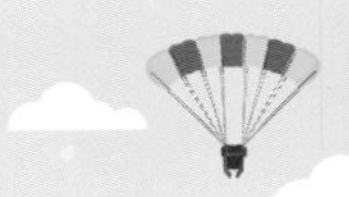

나눗셈의 몫과 나머지를 구하세요.

① $4 \overline{)754}$

② $2 \overline{)727}$

③ $5 \overline{)623}$

④ $3 \overline{)455}$

⑤ $7 \overline{)816}$

⑥ $8 \overline{)941}$

2일 나눌 수 없는 자리가 있을 때 몫과 나머지

공부한 날 월 일

나눗셈의 몫과 나머지를 구하세요.

(예시)

```
      9 6
   ┌──────
 5 ) 4 8 2
     4 5
   ──────
       3 2
       3 0
   ──────
         2
```

① $358 \div 6$ = ☐☐

② $153 \div 2$ = ☐☐

③ $284 \div 3$ = ☐☐

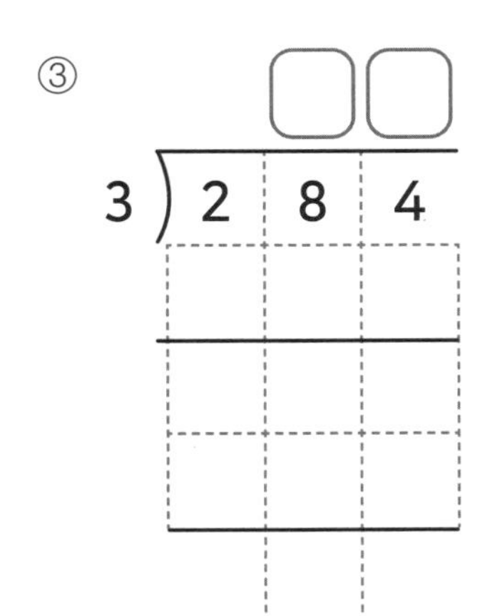

④ $741 \div 9$ = ☐☐

⑤ $237 \div 4$ = ☐☐

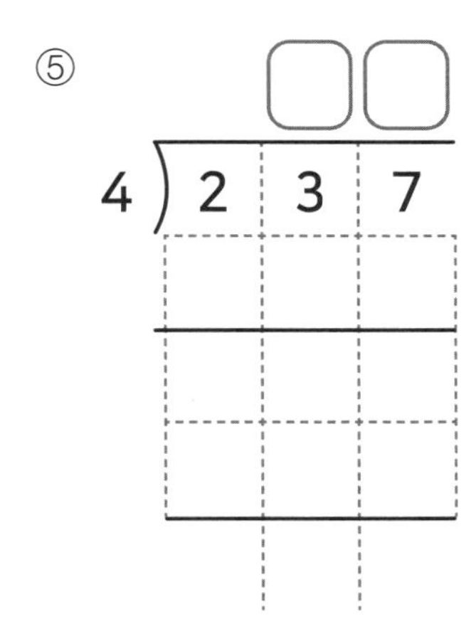

⑥ $526 \div 8$ = ☐☐

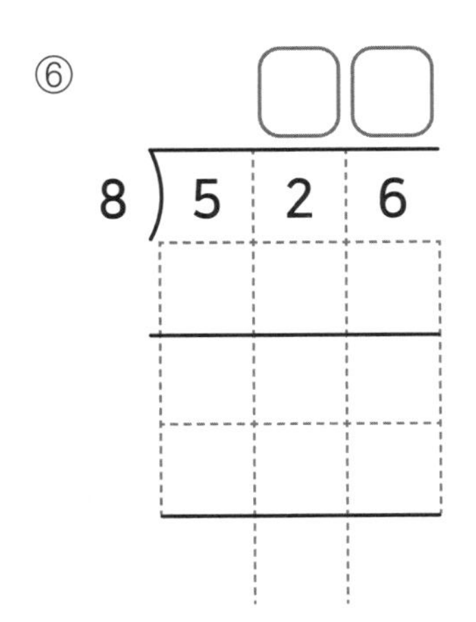

⑦ $419 \div 6$ = ☐☐

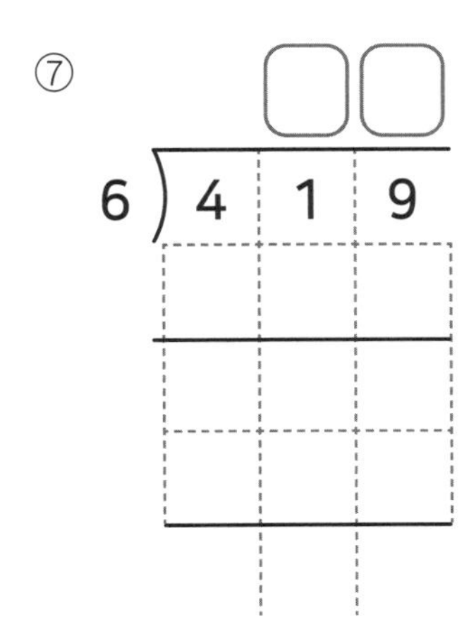

⑧ $603 \div 7$ = ☐☐

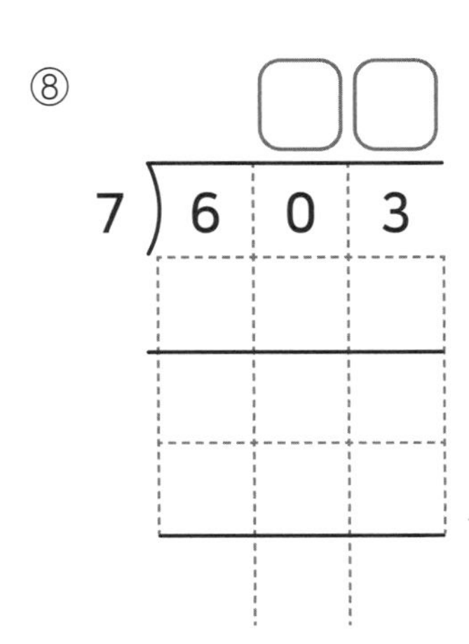

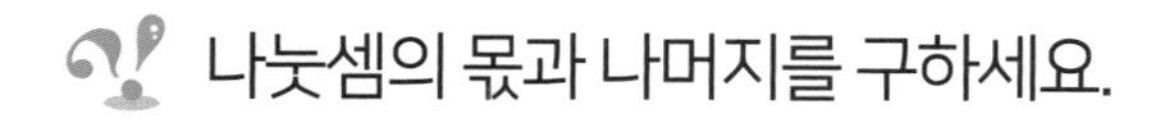

나눗셈의 몫과 나머지를 구하세요.

$$\begin{array}{r} 209 \\ 3\overline{)628} \\ \underline{6} \\ 28 \\ \underline{27} \\ 1 \end{array}$$

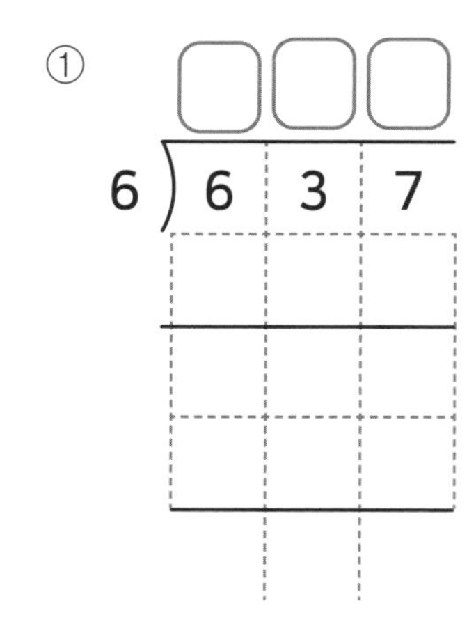

① 6) 6 3 7

② 7) 7 4 1

③ 5) 5 2 4

④ 4) 8 1 8

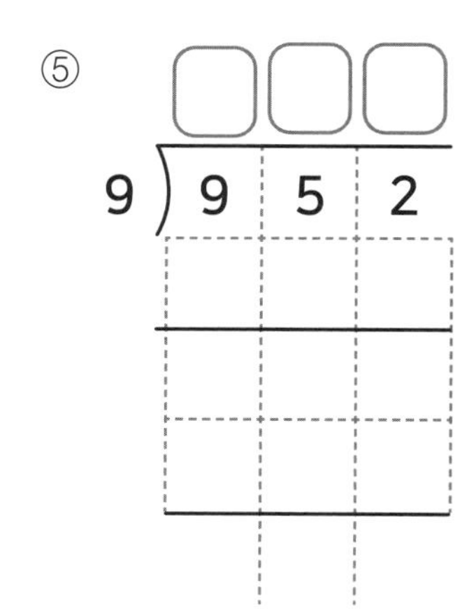

⑤ 9) 9 5 2

⑥ 8) 8 6 3

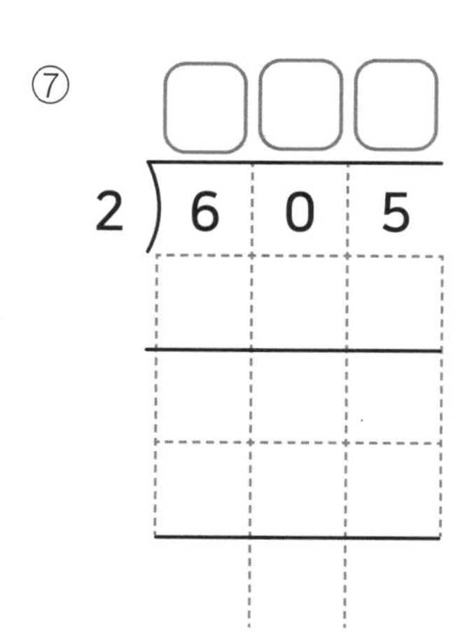

⑦ 2) 6 0 5

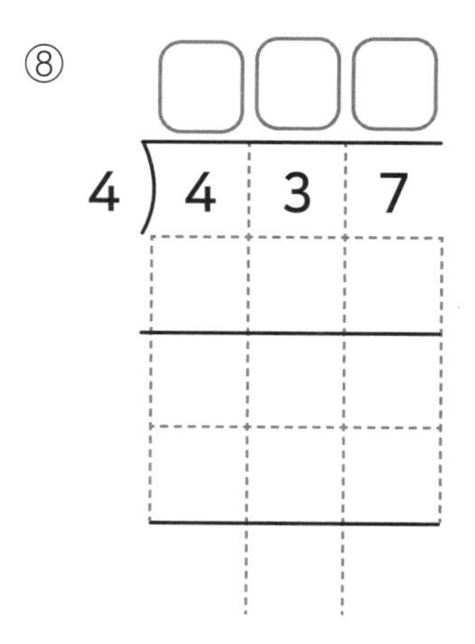

⑧ 4) 4 3 7

나눗셈의 몫과 나머지를 구하세요.

2 4 0

4) 9 6 2

8

1 6

1 6

2

①

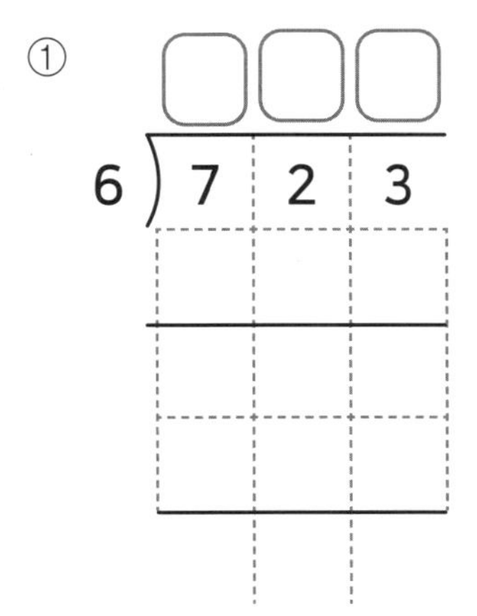

②

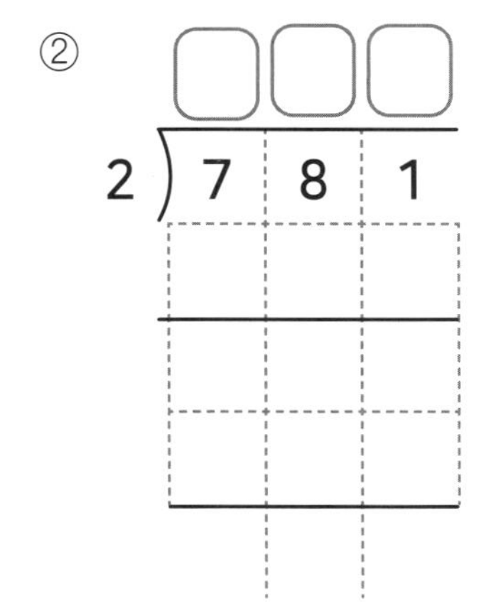

③

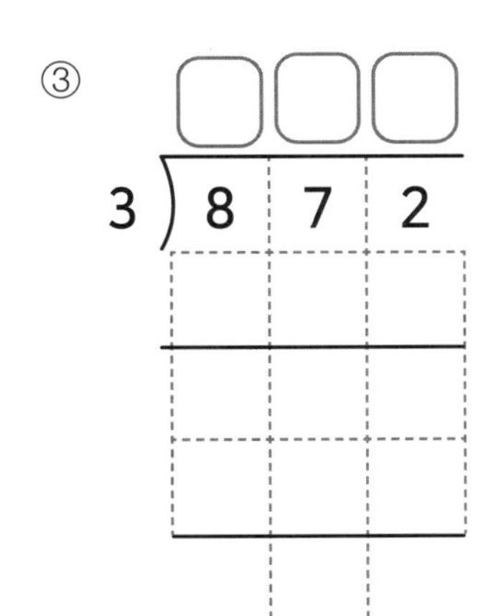

④

5) 6 5 3

⑤

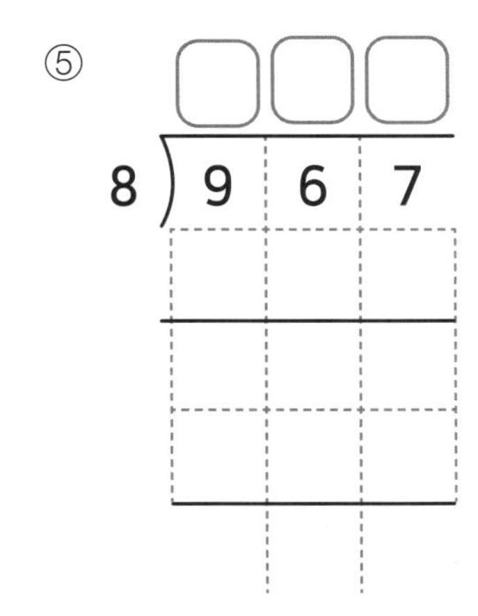

⑥

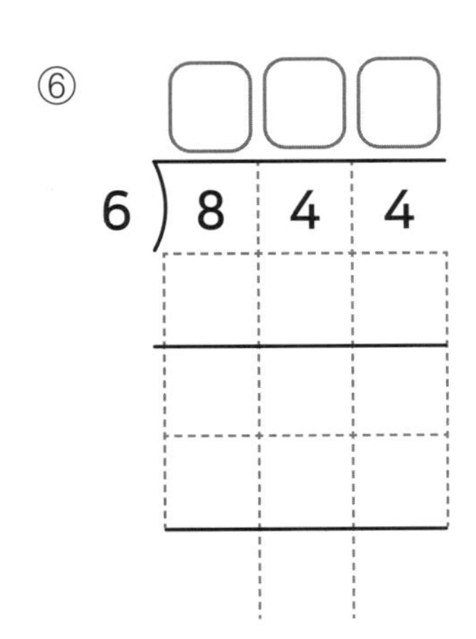

⑦

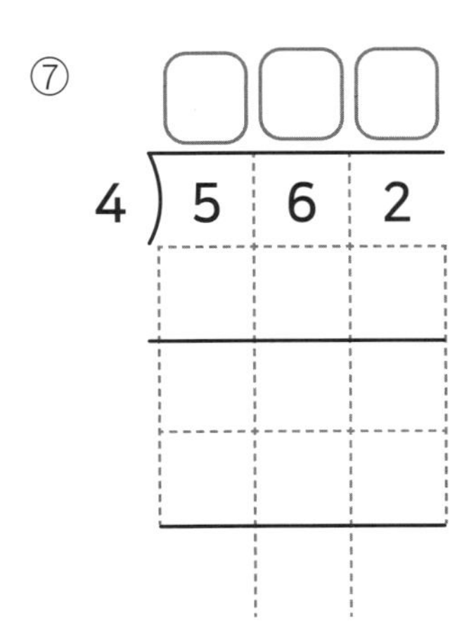

⑧

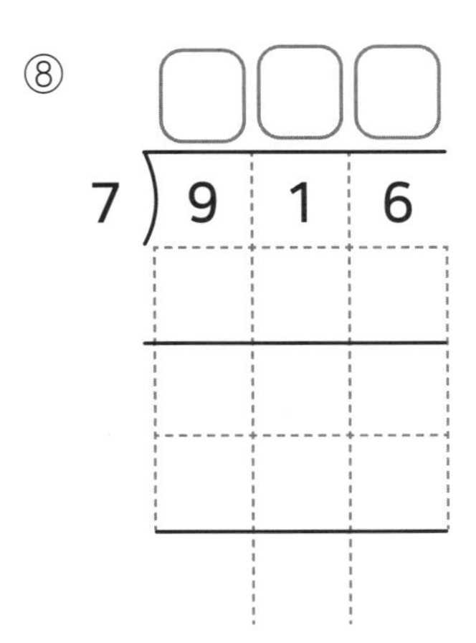

세로셈 연습

공부한 날 월 일

세로셈으로 계산하세요.

① $3\overline{)428}$

② $8\overline{)847}$

③ $4\overline{)480}$

④ $2\overline{)195}$

⑤ $6\overline{)652}$

⑥ $3\overline{)739}$

⑦ $7\overline{)582}$

⑧ $5\overline{)550}$

⑨ $9\overline{)803}$

⑩ $4\overline{)747}$

⑪ $2\overline{)217}$

⑫ $6\overline{)780}$

세로셈으로 계산하세요.

① $6\overline{)525}$

② $4\overline{)647}$

③ $2\overline{)320}$

④ $8\overline{)873}$

⑤ $7\overline{)482}$

⑥ $3\overline{)840}$

⑦ $3\overline{)719}$

⑧ $5\overline{)514}$

⑨ $9\overline{)926}$

⑩ $6\overline{)655}$

⑪ $3\overline{)960}$

⑫ $4\overline{)317}$

나눗셈의 계산 과정을 바르게 고치세요.

```
    1 2 3
7 ) 8 6 9
    7
    1 6
    1 4
      2 9
      2 1
        8
```
→ 7) 8 6 9

```
    1 8 9
3 ) 5 7 1
    3
    2 7
    2 4
      3 1
      2 7
        4
```
→ 3) 5 7 1

```
      8 3
5 ) 4 2 3
    4 0
      2 3
      1 5
        8
```
→ 5) 4 2 3

```
      8 6
2 ) 1 7 5
    1 6
      1 5
      1 2
        3
```
→ 2) 1 7 5

```
    1 8 0
4 ) 4 3 3
    4
      3 3
      3 2
        1
```
→ 4) 4 3 3

```
    1 0 7
6 ) 6 4 9
    6
      4
      0
      4 9
      4 2
        7
```
→ 6) 6 4 9

연산 퍼즐

공부한 날 월 일

두 나눗셈의 몫의 차를 □에 써넣으세요.

①

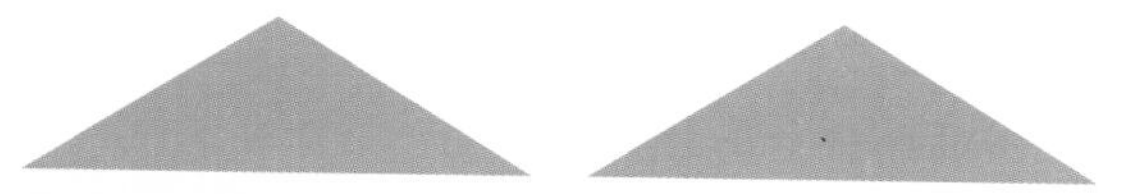

3)562 8)316

②

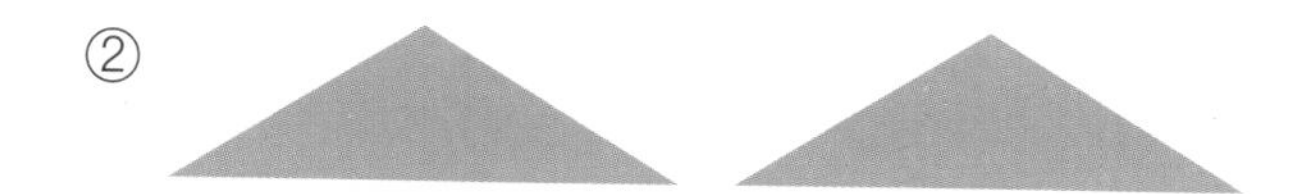

6)784 4)693

③

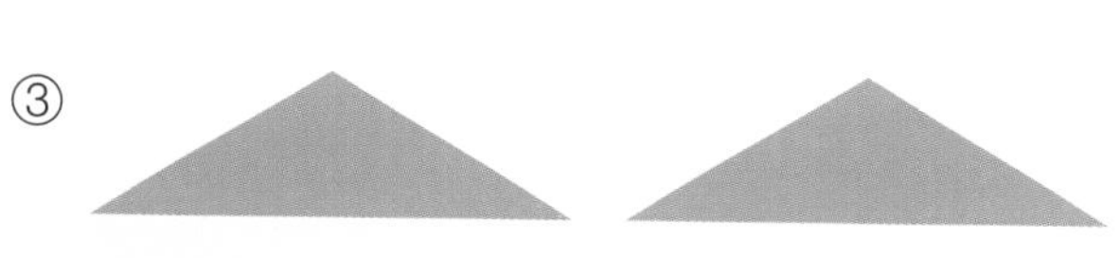

7)284 5)392

④

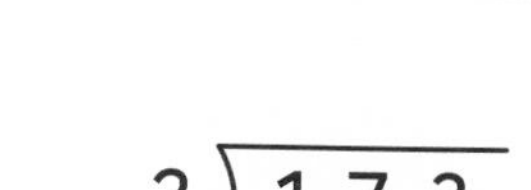

2)173 8)641

규칙에 맞게 빈 곳에 알맞은 수를 써넣으세요.

①

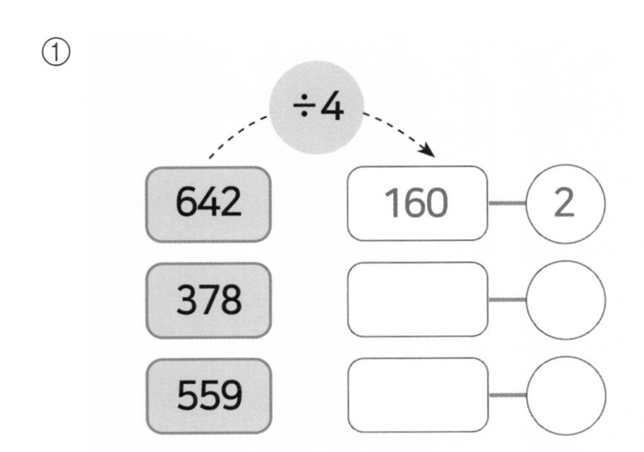

②

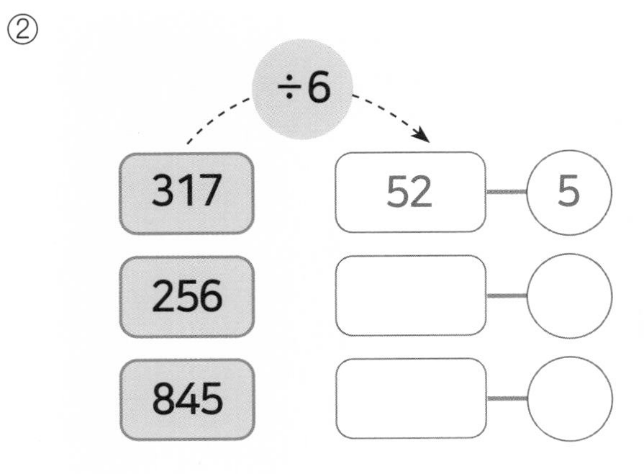

③

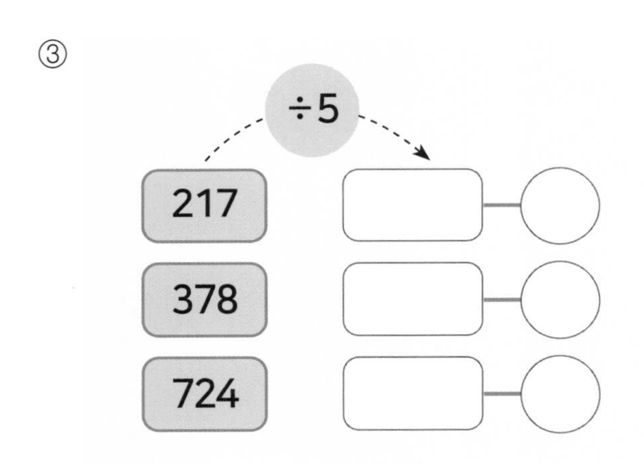

④

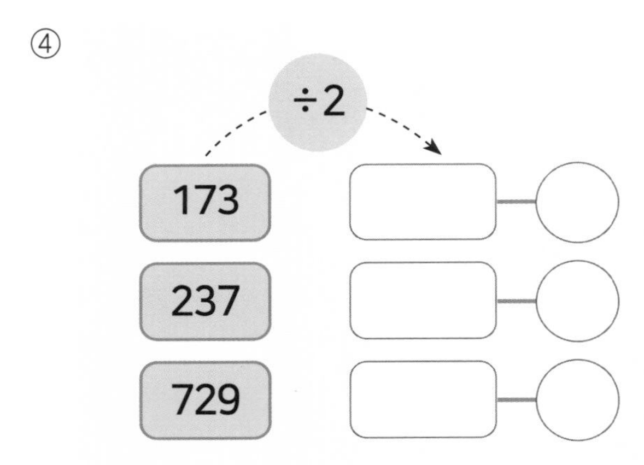

⑤

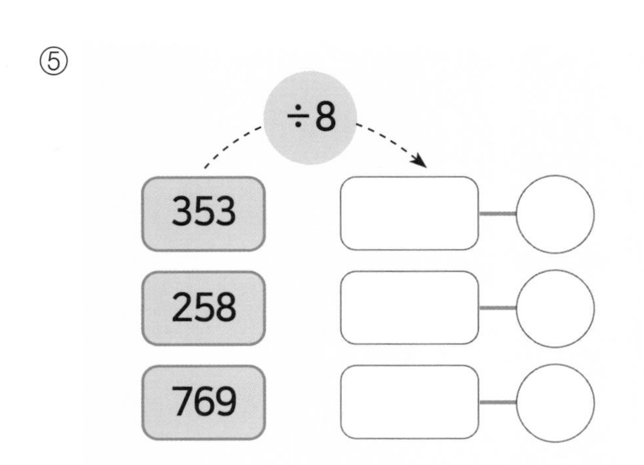

⑥

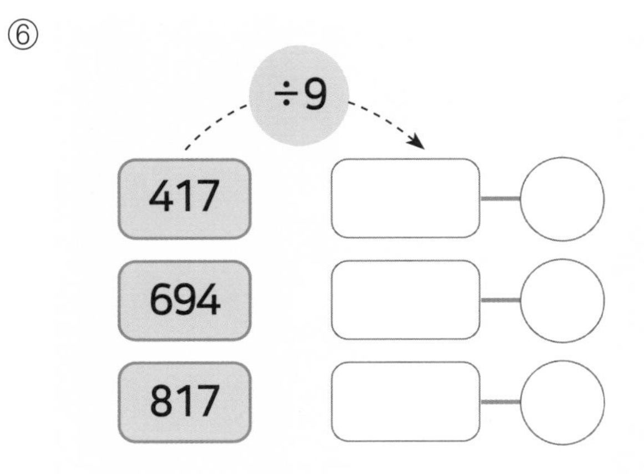

같은 줄에서 나머지가 가장 작은 나눗셈에 ◯표 하세요.

$6\overline{)175}$	$8\overline{)652}$	$3\overline{)473}$

$5\overline{)719}$	$7\overline{)611}$	$6\overline{)303}$

$8\overline{)821}$	$9\overline{)754}$	$7\overline{)632}$

문장제

글과 그림을 보고 물음에 알맞은 식을 세우고 답을 구하세요.

256 cm의 테이프를 일정한 길이로 잘라 선물 상자를 포장하려고 합니다.

★ 테이프를 9 cm씩 잘라 나간다면 몇 개를 자를 수 있고, 마지막에 남는 테이프는 몇 cm일까요?

식 : $256 \div 9 = 28 \cdots 4$ 답 : 28 개, 4 cm

① 테이프를 7 cm씩 잘라 나간다면 몇 개를 자를 수 있고, 마지막에 남는 테이프는 몇 cm일까요?

식 : ______ 답 : ______ 개, ______ cm

② 테이프를 3 cm씩 잘라 나간다면 몇 개를 자를 수 있고, 마지막에 남는 테이프는 몇 cm일까요?

식 : ______ 답 : ______ 개, ______ cm

문제를 읽고 알맞은 식과 답을 써 보세요.

① 연필 154자루를 한 사람당 6자루씩 나누어 주려고 합니다. 모두 몇 명에게 나누어 줄 수 있고, 마지막에 몇 자루가 남을까요?

식 : ____________________ 답 : ______ 명, ______ 자루

② 농장에서 사과 725개를 수확하여 9개씩 상자에 나누어 담으려고 합니다. 모두 몇 개의 상자가 사용되고, 마지막에 남는 사과는 몇 개일까요?

식 : ____________________ 답 : ______ 상자, ______ 개

③ 민성이는 387쪽의 위인전을 매일 8쪽씩 읽으려고 합니다. 위인전을 모두 읽기 위해서는 며칠이 걸리고, 마지막 날에는 몇 쪽을 읽었을까요?

식 : ____________________ 답 : ______ 일, ______ 쪽

④ 알약 524개를 5개의 통에 담으려고 합니다. 한 통에 들어 있는 알약의 개수는 몇 개이고, 마지막에 남는 알약은 몇 개일까요?

식 : ____________________ 답 : ______ 개, ______ 개

문제를 읽고 알맞은 식과 답을 써 보세요.

① 학생 427명이 한 줄에 4명씩 차례로 줄을 서고 있습니다. 4명씩 선 줄은 모두 몇 줄이고, 마지막 줄에는 몇 명이 설까요?

식 : ______________________ 답 : ______ 줄, ______ 명

② 선물을 만들기 위해 과자 218개를 9상자로 똑같이 나누어 담고 있습니다. 한 상자에 들어 있는 과자는 몇 개이고, 남는 과자는 몇 개일까요?

식 : ______________________ 답 : ______ 개, ______ 개

③ 장미 178송이를 5송이씩 똑같이 나누어 꽂으려고 합니다. 5송이씩 꽂힌 꽃병은 모두 몇 개이고, 남는 장미는 몇 송이일까요?

식 : ______________________ 답 : ______ 개, ______ 송이

④ 색종이 415장을 3명의 학생에게 똑같이 나누어 주려고 합니다. 한 학생이 받은 색종이는 모두 몇 장이고, 남는 색종이는 몇 장일까요?

식 : ______________________ 답 : ______ 장, ______ 장

6주차

도전! 계산왕

(세 자리 수)÷(한 자리 수)

계산을 하세요.

① $4\overline{)796}$

② $3\overline{)732}$

③ $9\overline{)233}$

④ $8\overline{)864}$

⑤ $6\overline{)826}$

⑥ $9\overline{)435}$

⑦ $5\overline{)751}$

⑧ $6\overline{)786}$

⑨ $420 \div 4 =$

⑩ $620 \div 4 =$

⑪ $422 \div 5 =$

(세 자리 수)÷(한 자리 수)

계산을 하세요.

① $4\overline{)1\,2\,9}$

② $7\overline{)7\,4\,7}$

③ $5\overline{)2\,6\,7}$

④ $5\overline{)4\,5\,7}$

⑤ $8\overline{)7\,3\,8}$

⑥ $8\overline{)1\,5\,6}$

⑦ $2\overline{)9\,7\,1}$

⑧ $6\overline{)7\,8\,2}$

⑨ 952 ÷ 6 =

⑩ 739 ÷ 5 =

⑪ 790 ÷ 4 =

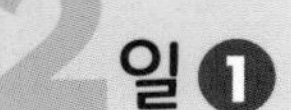

(세 자리 수)÷(한 자리 수)

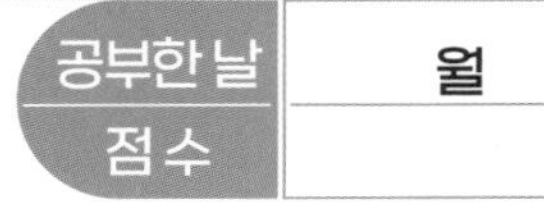

계산을 하세요.

① $5 \overline{)516}$

② $9 \overline{)624}$

③ $2 \overline{)448}$

④ $6 \overline{)105}$

⑤ $5 \overline{)263}$

⑥ $4 \overline{)496}$

⑦ $2 \overline{)240}$

⑧ $2 \overline{)146}$

⑨ $730 \div 4 =$

⑩ $461 \div 9 =$

⑪ $590 \div 4 =$

(세 자리 수)÷(한 자리 수)

공부한 날	월 일
점수	/11

계산을 하세요.

① $2\overline{)196}$

② $7\overline{)854}$

③ $6\overline{)111}$

④ $4\overline{)700}$

⑤ $8\overline{)851}$

⑥ $6\overline{)426}$

⑦ $5\overline{)463}$

⑧ $3\overline{)101}$

⑨ 765 ÷ 4 =

⑩ 700 ÷ 9 =

⑪ 307 ÷ 4 =

(세 자리 수)÷(한 자리 수)

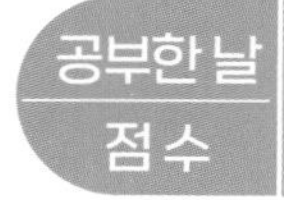

공부한 날	월 일
점수	/11

계산을 하세요.

① $2\overline{)653}$

② $2\overline{)313}$

③ $6\overline{)935}$

④ $7\overline{)245}$

⑤ $2\overline{)709}$

⑥ $7\overline{)412}$

⑦ $2\overline{)721}$

⑧ $2\overline{)172}$

⑨ $852 \div 7 =$

⑩ $127 \div 5 =$

⑪ $931 \div 2 =$

도전! 계산왕

(세 자리 수)÷(한 자리 수)

계산을 하세요.

① $2\overline{)190}$

② $2\overline{)740}$

③ $6\overline{)678}$

④ $5\overline{)233}$

⑤ $9\overline{)687}$

⑥ $6\overline{)168}$

⑦ $4\overline{)741}$

⑧ $5\overline{)715}$

⑨ $370 \div 7 =$

⑩ $604 \div 8 =$

⑪ $476 \div 8 =$

(세 자리 수)÷(한 자리 수)

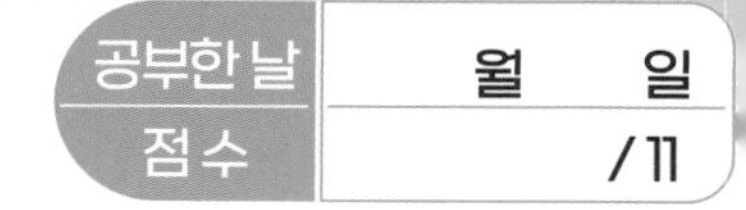

계산을 하세요.

① $7\overline{)492}$

② $8\overline{)626}$

③ $3\overline{)390}$

④ $7\overline{)106}$

⑤ $5\overline{)938}$

⑥ $8\overline{)710}$

⑦ $3\overline{)712}$

⑧ $6\overline{)458}$

⑨ $783 \div 5 =$

⑩ $981 \div 2 =$

⑪ $637 \div 7 =$

(세 자리 수)÷(한 자리 수)

공부한 날	월 일
점수	/11

계산을 하세요.

① $9\overline{)815}$

② $5\overline{)278}$

③ $6\overline{)707}$

④ $6\overline{)670}$

⑤ $5\overline{)247}$

⑥ $9\overline{)227}$

⑦ $7\overline{)541}$

⑧ $2\overline{)148}$

⑨ $826 \div 9 =$

⑩ $555 \div 2 =$

⑪ $701 \div 2 =$

5일 ❶

(세 자리 수)÷(한 자리 수)

공부한날 월 일
점수 /11

계산을 하세요.

① $6\overline{)156}$

② $7\overline{)909}$

③ $9\overline{)298}$

④ $8\overline{)106}$

⑤ $5\overline{)573}$

⑥ $6\overline{)245}$

⑦ $7\overline{)806}$

⑧ $6\overline{)774}$

⑨ 765 ÷ 7 =

⑩ 813 ÷ 4 =

⑪ 703 ÷ 3 =

5일 ❷

(세 자리 수)÷(한 자리 수)

공부한 날	월 일
점수	/11

계산을 하세요.

① $9\overline{)319}$

② $2\overline{)476}$

③ $2\overline{)269}$

④ $2\overline{)505}$

⑤ $6\overline{)335}$

⑥ $6\overline{)989}$

⑦ $4\overline{)464}$

⑧ $9\overline{)114}$

⑨ $763 \div 3 =$

⑩ $626 \div 9 =$

⑪ $821 \div 5 =$

MEMO

총괄 테스트

이름 점수

01 빈칸에 알맞은 수를 써넣으세요.

60 ÷ 4 — 40 ÷ 4 = ☐, 20 ÷ 4 = ☐ — ☐

02 계산을 하세요.

① 70 ÷ 2 =

② 60 ÷ 3 =

③ 80 ÷ 5 =

④ 50 ÷ 2 =

03 빈칸에 알맞은 수를 써넣으세요.

06 빈칸에 알맞은 수를 써넣으세요.

① 6) 5 2 (몫: ☐, ☐, 나머지: ☐)

② 7) 4 1 (몫: ☐, ☐, 나머지: ☐)

07 빈칸에 알맞은 수를 써넣으세요.

① 43 ÷ 5 = ☐ ··· ☐

② 39 ÷ 4 = ☐ ··· ☐

③ 69 ÷ 9 = ☐ ··· ☐

08 계산을 하세요.

①

②

84 ÷ 3 — [60 ÷ 3 = □ , 24 ÷ 3 = □] — □

04 계산을 하세요.

① 85 ÷ 5 =

② 45 ÷ 3 =

③ 52 ÷ 4 =

④ 68 ÷ 2 =

05 계산을 하세요.

① $7\overline{)91}$

② $4\overline{)96}$

$3\overline{)70}$

$6\overline{)81}$

09 계산을 하세요.

① 73 ÷ 2 = □ … □

② 69 ÷ 5 = □ … □

③ 99 ÷ 7 = □ … □

10 나눗셈의 계산 과정을 바르게 고치세요.

$$\begin{array}{r} 17 \\ 4\overline{)73} \\ 4 \\ \hline 33 \\ 28 \\ \hline 5 \end{array} \Rightarrow 4\overline{)73}$$

 1000math.com

홈페이지

- 천종현수학연구소 소개 및 학습 자료 공유
- 출판 교재, 연구소 굿즈 구입

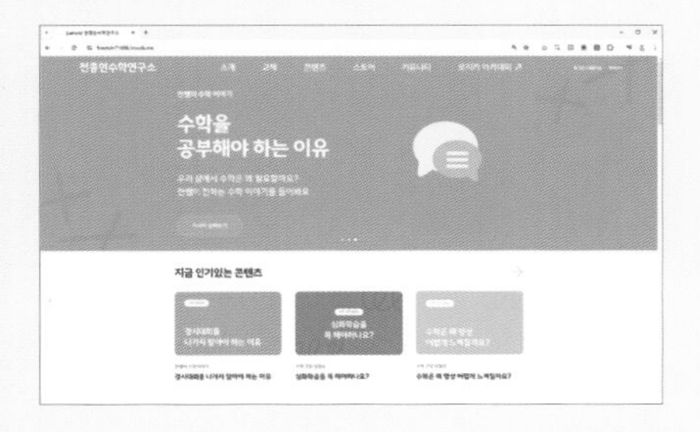

 cafe.naver.com/maths1000

네이버카페

- 다양한 이벤트 및 '천쌤수학학습단' 진행
- 학습 상담 게시판 운영

 https://www.instagram.com/1000maths

인스타그램

- 수학고민상담소 '천쌤에게 물어보셈' 릴스 보기
- 가장 빠르게 만나는 연구소 소식 및 이벤트

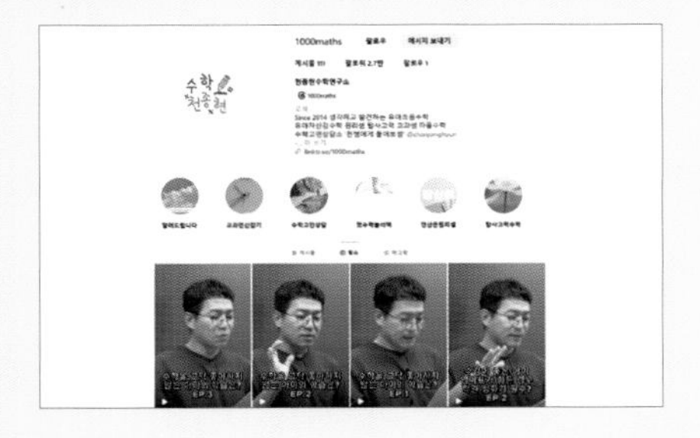

 https://www.youtube.com/@1000math4U

유튜브

- 인스타 라이브방송 '천쌤에게 물어보셈' 다시 보기
- 고민 상담 사례 및 수학교육 기획 콘텐츠

천종현수학연구소는
유아 초등 수학 교재와 **콘텐츠**를 꾸준히 **개발**하고 있습니다. 네이버에 **'천종현수학연구소'**를 검색하시거나 **인스타그램**, **유튜브** 등 다양한 채널을 통해서도 **연산**과 **사고력 수학**, **교과 심화 학습**에 대한 **노하우**와 **정보**를 다양하게 제공합니다. 지금 바로 만나보세요.

SINCE **2014**

천종현수학연구소 출판 교재

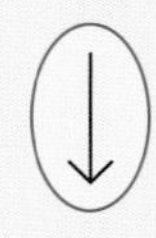

01
유아 자신감 수학
썼다 지웠다 붙였다 뗐다
우리 아이의 첫 수학 교재

02
TOP 사고력 수학
실력도 탑! 재미도 탑!
사고력 수학의 으뜸

03
교과셈
사칙연산+도형, 측정, 경우의 수까지
반복 학습이 필요한 초등 연산 완성

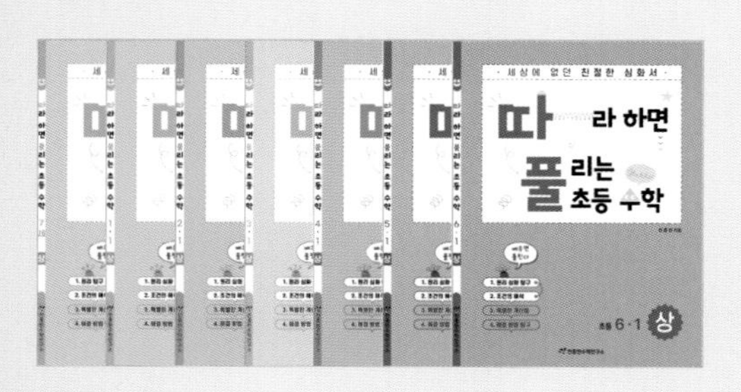

04
따풀 수학
다양한 개념과 해결 방법을 배우는
배움이 있는 학습지

05
초등 사고력 수학의 원리/전략
진정한 수학 실력은 원리의 이해와 문제 해결 전략에서
재미있게 읽는 17년 초등 사고력 수학의 노하우!!

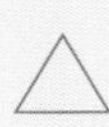

교과 과정
완벽 대비
★★★★★

원리셈

천종현 지음

3학년 4

(두/세 자리 수)÷(한 자리 수)

천종현수학연구소

1주차 - 나머지가 없는 (두 자리 수)÷(한 자리 수)

10쪽

① 40 ② 30
③ 10 ④ 20 ⑤ 10
⑥ 30 ⑦ 10 ⑧ 20

11쪽

① 30, 5, 35
② 40, 5, 45
③ 10, 6, 16
④ 10, 4, 14
⑤ 10, 8, 18

12쪽

① 30 ② 25
③ 20 ④ 15
⑤ 20 ⑥ 12
⑦ 10 ⑧ 16
⑨ 40 ⑩ 15

13쪽

① 13
② 14
③ 11
④ 21

14쪽

① 10, 4, 14
② 20, 7, 27
③ 20, 9, 29
④ 10, 2, 12
⑤ 20, 3, 23

15쪽

① 24 ② 16
③ 21 ④ 27
⑤ 42 ⑥ 23
⑦ 32 ⑧ 15
⑨ 32 ⑩ 16

16쪽

① 23, 6, 9, 9, 0
② 23, 4, 6, 6, 0
③ 11, 7, 7, 7, 0
④ 12, 4, 8, 8, 0
⑤ 34, 6, 8, 8, 0
⑥ 31, 9, 3, 3, 0
⑦ 22, 8, 8, 8, 0
⑧ 14, 2, 8, 8, 0

17쪽

① 28, 4, 16, 16, 0
② 18, 4, 32, 32, 0
③ 15, 4, 20, 20, 0
④ 26, 6, 18, 18, 0
⑤ 16, 5, 30, 30, 0
⑥ 14, 4, 16, 16, 0
⑦ 15, 3, 15, 15, 0
⑧ 36, 6, 12, 12, 0

18쪽

① 13 ② 35 ③ 29 ④ 14
⑤ 21 ⑥ 12 ⑦ 17 ⑧ 15
⑨ 16 ⑩ 12 ⑪ 27 ⑫ 14
⑬ 17 ⑭ 18 ⑮ 27 ⑯ 16

19쪽

16 4)64	16 3)48	13 5)65

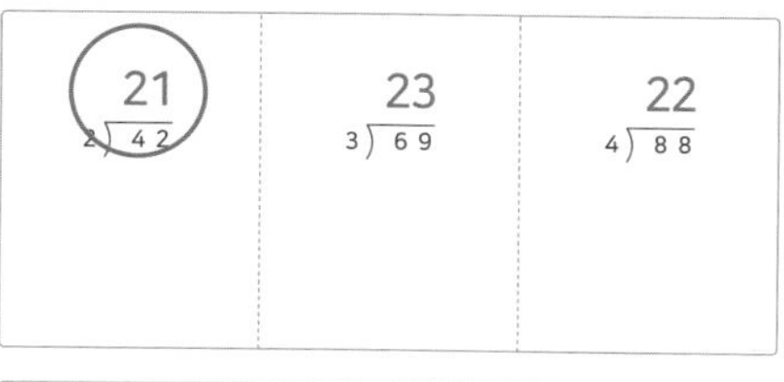

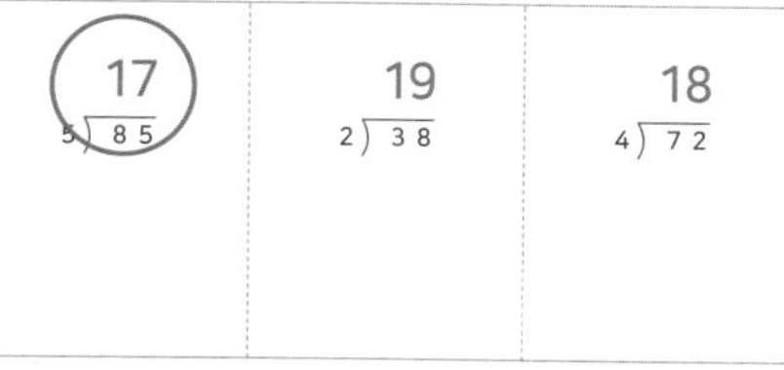

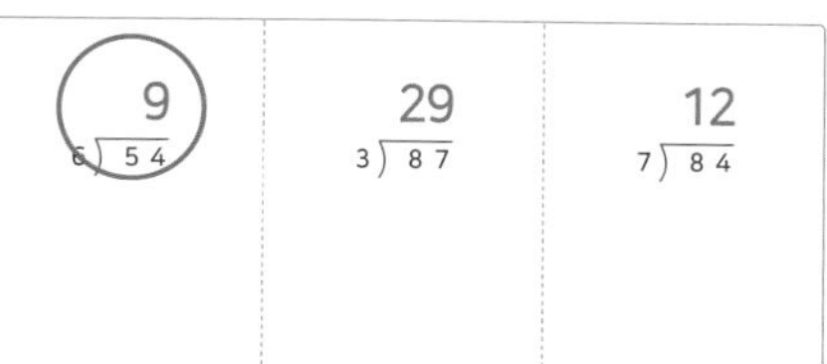

20쪽

① 24 18

② 12 28

③ 27 18

④ 20 10

⑤ 26 13

21쪽

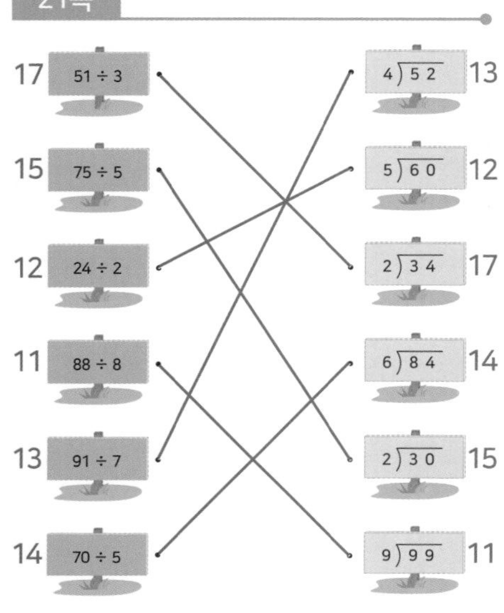

22쪽

① 30÷2=15, 15

② 76÷4=19, 19

23쪽

① 90÷2=45, 45

② 42÷3=14, 14

③ 70÷2=35, 35

④ 60÷4=15, 15

24쪽

① 80÷5=16, 16

② 68÷2=34, 34

③ 56÷4=14, 14

④ 91÷7=13, 13

2주차 - 나머지가 있는 (두 자리 수)÷(한 자리 수)

26쪽

① 9, 54, 4　② 7, 49, 1　③ 8, 24, 1　④ 6, 54, 1

⑤ 8, 2　⑥ 4, 5

⑦ 6, 1　⑧ 9, 3

⑨ 8, 2　⑩ 9, 2

27쪽

① 7　② 9　③ 5　④ 8

⑤ 7　⑥ 5 ··· 2　⑦ 7 ··· 6　⑧ 6

⑨ 9 ··· 2　⑩ 5 ··· 2　⑪ 6 ··· 4　⑫ 3 ··· 2

⑬ 6

28쪽

7)60	18 ÷ 5	58 ÷ 9	6)34
43 ÷ 8	4)23	6)53	39 ÷ 6
36 ÷ 7	2)14	54 ÷ 6	8)32
49 ÷ 8	3)25	18 ÷ 4	5)36
6)26	37 ÷ 7	3)20	27 ÷ 8

29쪽

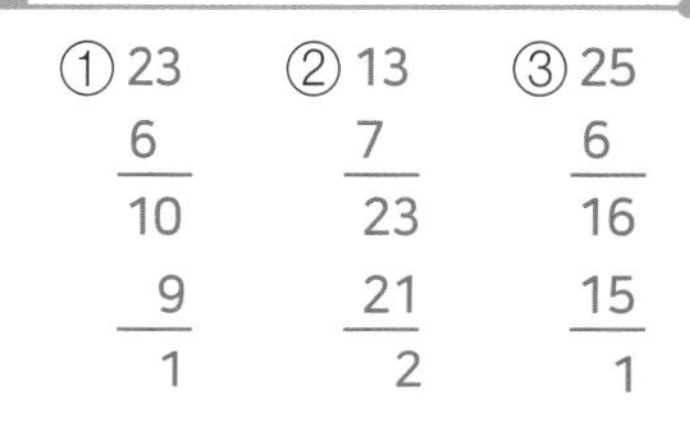

④ 12, 4, 11, 8, 3　⑤ 13, 6, 20, 18, 2　⑥ 11, 8, 9, 8, 1　⑦ 13, 3, 11, 9, 2

30쪽

① 12 ··· 3 ② 12 ··· 3 ③ 22 ··· 1 ④ 3 ··· 5

⑤ 13 ··· 5 ⑥ 17 ··· 2 ⑦ 16 ··· 2 ⑧ 14 ··· 3

⑨ 13 ··· 3 ⑩ 32 ··· 2 ⑪ 11 ··· 5 ⑫ 6 ··· 7

⑬ 19 ··· 1 ⑭ 12 ··· 4 ⑮ 23 ··· 1 ⑯ 12 ··· 2

31쪽

① 10 ⋯ 4
② 12 ⋯ 2
③ 14 ⋯ 3
④ 11 ⋯ 1
⑤ 31 ⋯ 2
⑥ 17 ⋯ 3
⑦ 21 ⋯ 1
⑧ 10 ⋯ 4
⑨ 11 ⋯ 3
⑩ 14 ⋯ 1
⑪ 21 ⋯ 2
⑫ 33 ⋯ 1
⑬ 13 ⋯ 3
⑭ 13 ⋯ 1
⑮ 11 ⋯ 3
⑯ 17 ⋯ 2

32쪽

- 4)77: 18, 4, 37, 32, 5 → 19, 4, 37, 36, 1
- 5)94: 17, 5, 44, 35, 9 → 18, 5, 44, 40, 4
- 2)53: 25, 4, 13, 10, 3 → 26, 4, 13, 12, 1
- 6)79: 12, 6, 19, 12, 7 → 13, 6, 19, 18, 1
- 7)99: 13, 7, 29, 21, 8 → 14, 7, 29, 28, 1
- 3)55: 17, 3, 25, 21, 4 → 18, 3, 25, 24, 1

33쪽

① 11, 6
11, 1
18, 1
13, 3
12, 5

② 11, 1
11, 3
18, 2
14, 0
6, 4

③ 12, 1
14, 3
32, 1
22, 1
13, 2

④ 16, 3
16, 4
16, 0
13, 2
13, 3

34쪽

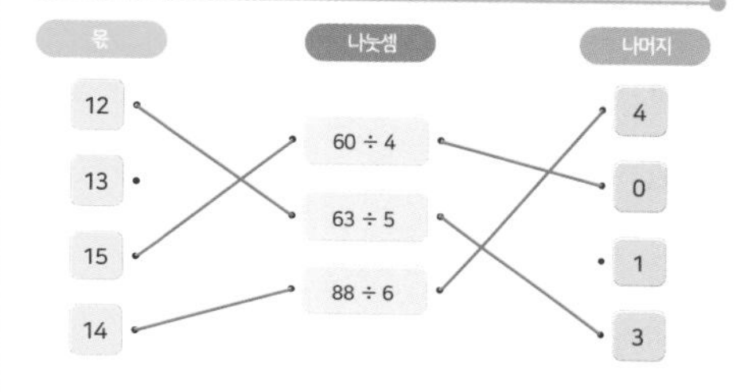

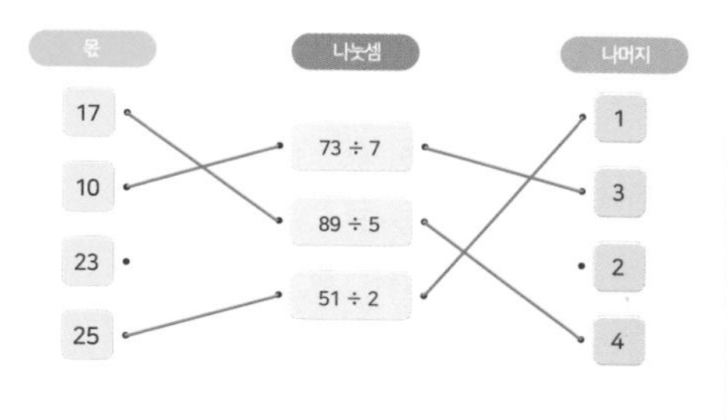

35쪽

① 17, 16, 15, 14
② 35, 28, 23, 19
③ 22, 18, 14, 10

36쪽

4 88 ÷ 7 (○)	3 63 ÷ 5 ( )	4 69 ÷ 5 (○)	3 94 ÷ 7 ( )
3 95 ÷ 4 (○)	2 98 ÷ 8 ( )	2 47 ÷ 3 ( )	5 83 ÷ 6 (○)
2 77 ÷ 5 (○)	1 51 ÷ 2 ( )	1 85 ÷ 4 (○)	0 81 ÷ 3 ( )
2 74 ÷ 6 (○)	1 27 ÷ 2 ( )	5 95 ÷ 9 (○)	2 62 ÷ 5 ( )
2 58 ÷ 4 (○)	1 73 ÷ 9 ( )	6 94 ÷ 8 (○)	5 85 ÷ 8 ( )
4 52 ÷ 8 (○)	3 63 ÷ 4 ( )	4 89 ÷ 5 ( )	5 95 ÷ 6 (○)

37쪽

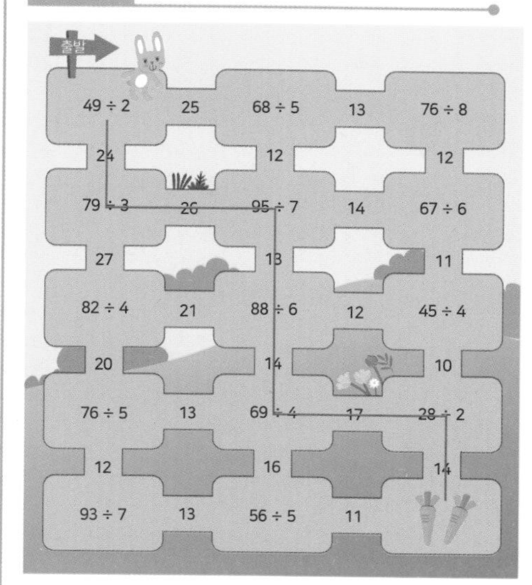

38쪽

① 58÷6=9 ⋯ 4, 9, 4
② 58÷4=14 ⋯ 2, 2

39쪽

① 80÷6=13 … 2, 13, 2
② 74÷5=14 … 4, 14, 4
③ 40÷3=13 … 1, 13, 1
④ 50÷4=12 … 2 , 12, 2

40쪽

① 40÷6=6 … 4, 6, 4
② 67÷4=16 … 3, 16, 3
③ 19÷2=9 … 1, 9, 1
④ 93÷6=15 … 3, 15, 3

3주차 - 도전! 계산왕

42쪽

① 3 … 5 ② 7 … 6 ③ 12 … 3 ④ 26 … 1
⑤ 13 … 4 ⑥ 3 … 2 ⑦ 4 … 1 ⑧ 9
⑨ 8 … 5 ⑩ 10 … 6 ⑪ 3 … 5
⑫ 37 … 1 ⑬ 15 … 5 ⑭ 9 … 1

43쪽

① 15 … 1 ② 20 … 1 ③ 9 … 2 ④ 22
⑤ 4 ⑥ 7 … 8 ⑦ 12 … 1 ⑧ 4 … 7
⑨ 17 … 2 ⑩ 17 … 1 ⑪ 10 … 6
⑫ 9 … 6 ⑬ 2 … 6 ⑭ 5 … 5

44쪽

① 11 … 2 ② 16 … 1 ③ 2 … 3 ④ 19 … 1
⑤ 9 ⑥ 29 … 2 ⑦ 6 ⑧ 2
⑨ 3 … 4 ⑩ 8 … 2 ⑪ 9 … 4
⑫ 5 … 3 ⑬ 3 … 6 ⑭ 19 … 1

45쪽

① 5 … 1 ② 6 … 2 ③ 7 … 4 ④ 43
⑤ 12 ⑥ 15 … 3 ⑦ 5 … 1 ⑧ 20
⑨ 14 … 1 ⑩ 7 … 3 ⑪ 5 … 2
⑫ 6 … 4 ⑬ 10 … 1 ⑭ 18 … 3

46쪽

① 21 … 1 ② 9 … 5 ③ 25 … 2 ④ 8 … 1
⑤ 8 … 5 ⑥ 3 … 4 ⑦ 19 … 2 ⑧ 2 … 1
⑨ 3 … 1 ⑩ 2 … 4 ⑪ 20 … 2
⑫ 3 … 3 ⑬ 25 … 1 ⑭ 20

47쪽

① 10 ② 12 ③ 16 … 1 ④ 6 … 3
⑤ 20 … 1 ⑥ 6 … 2 ⑦ 10 … 2 ⑧ 3 … 2
⑨ 9 … 5 ⑩ 14 … 1 ⑪ 10 … 2
⑫ 1 … 3 ⑬ 12 … 6 ⑭ 10 … 1

48쪽

① 6 … 3 ② 10 ③ 10 ④ 10 … 3
⑤ 18 … 1 ⑥ 7 … 3 ⑦ 10 ⑧ 19 … 1
⑨ 8 ⑩ 15 … 2 ⑪ 6 … 1
⑫ 10 … 2 ⑬ 3 ⑭ 7 … 1

49쪽

① 7 … 2 ② 19 ③ 5 ④ 29
⑤ 10 … 4 ⑥ 7 ⑦ 6 … 5 ⑧ 9 … 1
⑨ 10 … 1 ⑩ 30 ⑪ 3 … 1
⑫ 8 … 5 ⑬ 10 … 2 ⑭ 5 … 1

50쪽

① 5 … 7 ② 10 … 3 ③ 9 ④ 9 … 4
⑤ 11 … 2 ⑥ 16 ⑦ 6 … 3 ⑧ 3 … 5
⑨ 5 … 3 ⑩ 15 ⑪ 9 … 6
⑫ 18 … 3 ⑬ 7 ⑭ 3 … 2

51쪽

① 18 … 1 ② 6 … 4 ③ 12 … 2 ④ 14 … 2
⑤ 8 … 3 ⑥ 5 … 4 ⑦ 16 ⑧ 13
⑨ 11 … 1 ⑩ 16 ⑪ 1 … 5
⑫ 8 … 2 ⑬ 9 … 3 ⑭ 22

4주차 - 나머지가 없는 (세 자리 수)÷(한 자리 수)

54쪽

① 3, 30 ② 6, 60
③ 4, 40 ④ 4, 40

55쪽

① 5, 50 ② 14, 140
③ 12, 120 ④ 14, 140
⑤ 14, 140 ⑥ 21, 210
⑦ 12, 120 ⑧ 9, 90
⑨ 13, 130 ⑩ 15, 150

56쪽

① 160 ② 120

③ 40 ④ 60

⑤ 50 ⑥ 120

⑦ 160 ⑧ 60

⑨ 310 ⑩ 80

⑪ 20 ⑫ 80

⑬ 210 ⑭ 70

57쪽

① 148	② 377	③ 114
4	6	6
19	15	8
16	14	6
32	14	24
32	14	24
0	0	0

58쪽

① 278	② 189	③ 288
6	5	4
23	44	17
21	40	16
24	45	16
24	45	16
0	0	0

④ 183	⑤ 152	⑥ 157
4	6	3
33	31	17
32	30	15
12	12	21
12	12	21
0	0	0

59쪽

① 126	② 123	③ 247
6	8	6
15	18	14
12	16	12
36	24	21
36	24	21
0	0	0

④ 199	⑤ 138	⑥ 134
2	4	7
19	15	23
18	12	21
18	32	28
18	32	28
0	0	0

60쪽

① 97	② 87	③ 74
27	16	35
21	14	20
21	14	20
0	0	0

④ 65	⑤ 84	⑥ 78
42	48	56
35	24	64
35	24	64
0	0	0

61쪽

① 106	② 302	③ 109
3	6	5
18	4	45
18	4	45
0	0	0

④ 309	⑤ 104	⑥ 109
9	6	8
27	24	72
27	24	72
0	0	0

62쪽

① 150	② 260	③ 130
3	4	5
15	12	15
15	12	15
0	0	0

④ 120	⑤ 160	⑥ 170
7	6	4
14	36	28
14	36	28
0	0	0

63쪽

① 279 ② 58 ③ 56

④ 104 ⑤ 95 ⑥ 157

⑦ 68 ⑧ 104 ⑨ 63

⑩ 122 ⑪ 90 ⑫ 309

64쪽

① 74 ② 116 ③ 130

④ 109 ⑤ 56 ⑥ 119

⑦ 207 ⑧ 123 ⑨ 43

⑩ 109 ⑪ 240 ⑫ 49

65쪽

8)896 = 112	7)826 = 118 (○)	6)702 = 117
5)325 = 65 (○)	6)384 = 64	4)252 = 63
3)840 = 280 (○)	2)212 = 106	4)376 = 94

66쪽

① 468÷4=117, 117

② 468÷6=78, 78

67쪽

① 336÷4=84, 84

② 768÷6=128, 128

③ 308÷7=44, 44

④ 144÷6=24, 24

68쪽

① 840÷6=140, 140

② 763÷7=109, 109

③ 215÷5=43, 43

④ 928÷8=116, 116

5주차 - 나머지가 있는 (세 자리 수)÷(한 자리 수)

70쪽

① 128
5
14
10
43
40
3

② 121
7
15
14
11
7
4

③ 282
6
24
24
7
6
1

④ 157
6
34
30
46
42
4

⑤ 282
4
16
16
5
4
1

71쪽

① 122
6
13
12
13
12
1

② 161
4
24
24
7
4
3

③ 173
5
36
35
19
15
4

④ 132
7
22
21
17
14
3

⑤ 114
8
11
8
36
32
4

⑥ 274
6
22
21
14
12
2

72쪽

① 188
4
35
32
34
32
2

② 363
6
12
12
7
6
1

③ 124
5
12
10
23
20
3

④ 151
3
15
15
5
3
2

⑤ 116
7
11
7
46
42
4

⑥ 117
8
14
8
61
56
5

73쪽

① 59
30
58
54
4

② 76
14
13
12
1

③ 94
27
14
12
2

④ 82
72
21
18
3

⑤ 59
20
37
36
1

⑥ 65
48
46
40
6

⑦ 69
36
59
54
5

⑧ 86
56
43
42
1

74쪽

① 106
6
37
36
1

② 105
7
41
35
6

③ 104
5
24
20
4

④ 204
8
18
16
2

⑤ 105
9
52
45
7

⑥ 107
8
63
56
7

⑦ 302
6
5
4
1

⑧ 109
4
37
36
1

75쪽

① 120
6
12
12
3

② 390
6
18
18
1

③ 290
6
27
27
2

④ 130
5
15
15
3

⑤ 120
8
16
16
7

⑥ 140
6
24
24
4

⑦ 140
4
16
16
2

⑧ 130
7
21
21
6

76쪽

① 142…2	② 105…7	③ 120
④ 97…1	⑤ 108…4	⑥ 246…1
⑦ 83…1	⑧ 110	⑨ 89…2
⑩ 186…3	⑪ 108…1	⑫ 130

77쪽

① 87…3	② 161…3	③ 160
④ 109…1	⑤ 68…6	⑥ 280
⑦ 239…2	⑧ 102…4	⑨ 102…8
⑩ 109…1	⑪ 320	⑫ 79…1

78쪽

124
7)869
7
16
14
29
28
1

190
3)571
3
27
27
1

84
5)423
40
23
20
3

87
2)175
16
15
14
1

108
4)433
4
33
32
1

108
6)649
6
49
48
1

79쪽

① 148 ② 43
③ 38 ④ 6

80쪽

① 160-2, 94-2, 139-3
② 52-5, 42-4, 140-5
③ 43-2, 75-3, 144-4
④ 86-1, 118-1, 364-1
⑤ 44-1, 32-2, 96-1
⑥ 46-3, 77-1, 90-7

81쪽

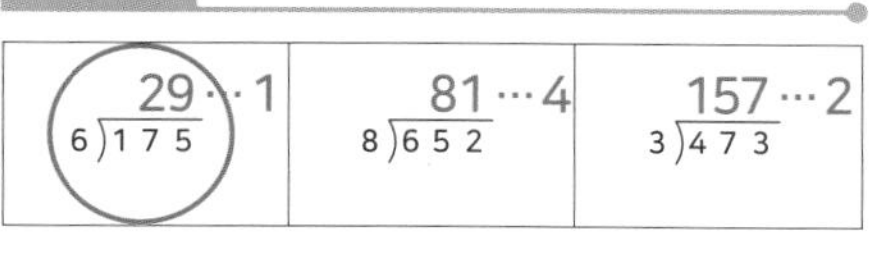

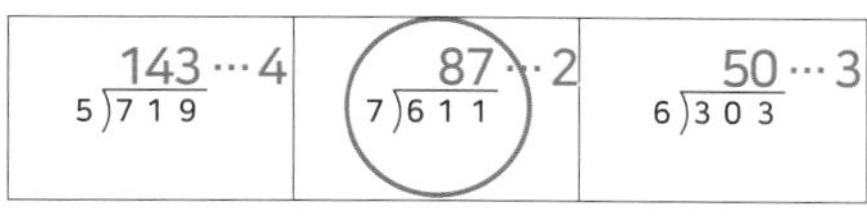

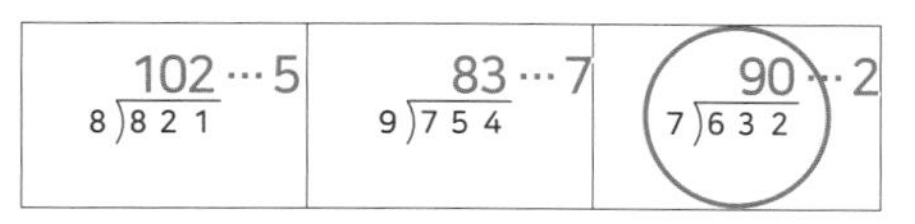

82쪽

① 256÷7=36…4, 36, 4
② 256÷3=85…1, 85, 1

83쪽

① 154÷6=25…4, 25, 4
② 725÷9=80…5, 80, 5
③ 387÷8=48…3, 49, 3
④ 524÷5=104…4, 104, 4

84쪽

① 427÷4=106…3, 106, 3
② 218÷9=24…2, 24, 2
③ 178÷5=35…3, 35, 3
④ 415÷3=138…1, 138, 1

6주차 - 도전! 계산왕

86쪽

① 199	② 244	③ 25…8	④ 108
⑤ 137…4	⑥ 48…3	⑦ 150…1	⑧ 131
⑨ 105	⑩ 155	⑪ 84…2	

87쪽

① 32…1 ② 106…5 ③ 53…2 ④ 91…2
⑤ 92…2 ⑥ 19…4 ⑦ 485…1 ⑧ 130…2
⑨ 158…4 ⑩ 147…4 ⑪ 197…2

88쪽

① 103…1 ② 69…3 ③ 224 ④ 17…3
⑤ 52…3 ⑥ 124 ⑦ 120 ⑧ 73
⑨ 182…2 ⑩ 51…2 ⑪ 147…2

89쪽

① 98 ② 122 ③ 18…3 ④ 175
⑤ 106…3 ⑥ 71 ⑦ 92…3 ⑧ 33…2
⑨ 191…1 ⑩ 77…7 ⑪ 76…3

90쪽

① 326…1 ② 156…1 ③ 155…5 ④ 35
⑤ 354…1 ⑥ 58…6 ⑦ 360…1 ⑧ 86
⑨ 121…5 ⑩ 25…2 ⑪ 465…1

91쪽

① 95 ② 370 ③ 113 ④ 46…3
⑤ 76…3 ⑥ 28 ⑦ 185…1 ⑧ 143
⑨ 52…6 ⑩ 75…4 ⑪ 59…4

92쪽

① 70…2 ② 78…2 ③ 130 ④ 15…1
⑤ 187…3 ⑥ 88…6 ⑦ 237…1 ⑧ 76…2
⑨ 156…3 ⑩ 490…1 ⑪ 91

93쪽

① 90…5 ② 55…3 ③ 117…5 ④ 111…4
⑤ 49…2 ⑥ 25…2 ⑦ 77…2 ⑧ 74
⑨ 91…7 ⑩ 277…1 ⑪ 350…1

94쪽

① 26 ② 129…6 ③ 33…1 ④ 13…2
⑤ 114…3 ⑥ 40…5 ⑦ 115…1 ⑧ 129
⑨ 109…2 ⑩ 203…1 ⑪ 234…1

95쪽

① 35…4 ② 238 ③ 134…1 ④ 252…1
⑤ 55…5 ⑥ 164…5 ⑦ 116 ⑧ 12…6
⑨ 254…1 ⑩ 69…5 ⑪ 164…1

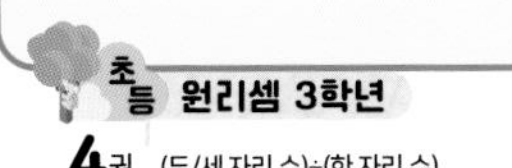

4권 (두/세 자리 수)÷(한 자리 수)

총괄 테스트

이름 점수

01 빈칸에 알맞은 수를 써넣으세요.

60 ÷ 4 — 40 ÷ 4 = [10], 20 ÷ 4 = [5] — [15]

02 계산을 하세요.

① 70 ÷ 2 = 35 ② 60 ÷ 3 = 20

③ 80 ÷ 5 = 16 ④ 50 ÷ 2 = 25

03 빈칸에 알맞은 수를 써넣으세요.

84 ÷ 3 — 60 ÷ 3 = [20], 24 ÷ 3 = [8] — [28]

04 계산을 하세요.

① 85 ÷ 5 = 17 ② 45 ÷ 3 = 15

③ 52 ÷ 4 = 13 ④ 68 ÷ 2 = 34

05 계산을 하세요.

① 7)91 → 13 ② 4)96 → 24

06 빈칸에 알맞은 수를 써넣으세요.

① 6)52 → 몫 [8], 빼는 수 [48], 나머지 [4]

② 7)41 → 몫 [5], 빼는 수 [35], 나머지 [6]

07 빈칸에 알맞은 수를 써넣으세요.

① 43 ÷ 5 = [8] ⋯ [3]

② 39 ÷ 4 = [9] ⋯ [3]

③ 69 ÷ 9 = [7] ⋯ [6]

08 계산을 하세요.

① 3)70 → 23⋯1 ② 6)81 → 13⋯3

09 계산을 하세요.

① 73 ÷ 2 = [36] ⋯ [1]

② 69 ÷ 5 = [13] ⋯ [4]

③ 99 ÷ 7 = [14] ⋯ [1]

10 나눗셈의 계산 과정을 바르게 고치세요.

4)73 → 17 (4, 33, 28, 5) ➜ 4)73 → 18 (4, 33, 32, 1)

11 빈칸에 알맞은 수를 써넣으세요.

① 48 ÷ 3 = [16], 480 ÷ 3 = [160] ② 92 ÷ 4 = [23], 920 ÷ 4 = [230]

12 계산을 하세요.

① 630 ÷ 9 = 70 ② 390 ÷ 3 = 130

③ 910 ÷ 7 = 130 ④ 480 ÷ 6 = 80

13 계산을 하세요.

① 8)848 → 106 ② 6)354 → 59

14 계산을 하세요.

① 3)735 → 245 ② 5)850 → 170

15 초콜릿 7개의 가격이 854원입니다. 초콜릿 1개의 가격은 얼마일까요?

식: 854 ÷ 7 = 122

답: 122 원

16 계산을 하세요.

① 7)659 → 94⋯1 ② 5)738 → 147⋯3

17 계산을 하세요.

① 4)838 → 209⋯2 ② 6)962 → 160⋯2

18 계산을 하세요.

① 977 ÷ 3 = 325⋯2 ② 728 ÷ 4 = 182

③ 695 ÷ 5 = 139 ④ 574 ÷ 9 = 63⋯7

19 □에 몫을 쓰고, ○에 나머지를 쓰세요.

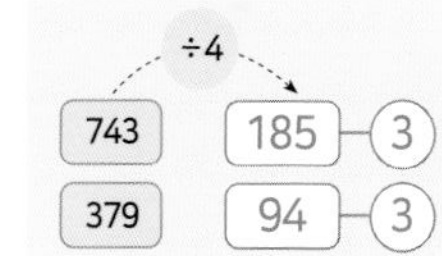

20 잘못 계산된 나눗셈을 바르게 고치세요.

6)895 → 148 (6, 29, 24, 55, 48, 7) ➜ 6)895 → 149 (6, 29, 24, 55, 54, 1)

원리 이해

다양한 계산 방법

충분한 연습

성취도 확인

마술 같은 논리 수학 매직

전 영역에 걸쳐 균형 있는 논리력, 문제해결력 기르기

생각하고 발견하는 수학 로지카

최고 수준 학습을 위한 사고력, 문제해결력 기르기

문제해결력 향상을 위한 실전서
문제해결사 PULL UP

학년별 실전 고난도 문제해결을 위한 브릿지 학습

천종현수학연구소의 학원 프로그램, **로지카 아카데미**

"수학으로 세상을 다르게 보는 아이로!"
"생각하고 발견하는 수학, **로지카 아카데미**에서 시작하세요."

20년 차 수학교육전문가 천종현 소장과 함께 생각하는 힘을 기를 수 있는 곳, 로지카 아카데미입니다. 생각하고 발견하는 수학을 통해 아이들은 새로운 세상을 만나게 될 것입니다. 오늘부터 아이의 수학 여정을 로지카 아카데미와 함께하세요.

▶ ▷ ▷ ▷ **로지카 아카데미** www.logicaedu.kr

천종현수학연구소의 교재 흐름도

	4세	5세	6세	7세	초 1
출판 교재					
유자수 · 탑사고력	 만 3세	 만 4세	 만 5세	 K단계	 P단계
원리셈		 5, 6세	 6, 7세	 7, 8세	 초등 1
교과셈					 초등 1
따풀				 7세	 초등 1
학원 교재					
매직 · 로지카			 K단계	 P단계	 A단계
풀업				 P단계	 A단계